Guía de campo
de Windows 7

Guía de campo de Windows 7

Teaching Soft Group

La ley prohíbe
fotocopiar este libro

Guía de campo de Windows 7
© Teaching Soft Group
© De la edición Ra-Ma 2011

Editado por:
RA-MA Editorial
Calle Jarama, 3A, Polígono Industrial Igarsa
28860 PARACUELLOS DE JARAMA, Madrid
Teléfono: 91 658 42 80
Fax: 91 662 81 39
Correo electrónico: editorial@ra-ma.com
Internet: www.ra-ma.es y www.ra-ma.com
ISBN: 978-84-9964-080-8
Depósito Legal: M. 24.091-2011
Autoedición: Autores
Diseño Portada: Antonio García Tomé
Impresión: Closas-Orcoyen, S. L.
Impreso en España en junio de 2011

A los usuarios de este sistema operativo.

ÍNDICE

INTRODUCCIÓN

Windows 7 es el sistema operativo de Microsoft sustituto de Windows Vista y Windows XP. Microsoft ofrece varias ediciones de este sistema operativo entre las que destacan por orden de capacidad creciente, Starter, Home Basic, Home Premium, Professional, Enterprise y Ultimate.

Windows 7 se diseñó a partir de los comentarios de los clientes para incorporar cientos de mejoras, tanto grandes como pequeñas. Windows 7 simplifica el modo en que usa su equipo, realiza las tareas habituales relativas a un sistema operativo.

En Windows 7 han cambiado el nombre de algunos programas para que reflejen mejor lo que realizan. También han cambiado la posición de algunos componentes para que resulten más fáciles de usar y encontrar. Este libro pretende ser una ayuda en los comienzos del trabajo con Windows 7, facilitando la transición desde Windows XP y Windows Vista.

La información del menú Inicio está organizada de un modo más eficaz que en Windows XP, con una lista de programas mejorados y una nueva característica de búsqueda de cualquier programa, carpeta o archivo, simplemente escribiendo sus primeras letras. El menú Inicio sigue siendo el lugar desde el que se apaga o cierra sesión en el equipo, pero hay otros nuevos botones para bloquear el equipo o ponerlo en un estado de baja energía.

Por otra parte, el Panel de control ha experimentado muchos cambios y ya no existe la posibilidad de seguir usándolo con el mismo aspecto que en Windows XP. No obstante, el número de elementos del Panel de control de Windows 7 es superior al de Windows Vista (incluye ahora Aceleradores, *Gadgets*, Infrarrojos, Solución de problemas, Administrador de credenciales, etc.), pero es más del doble que en el Panel de control de Windows XP, por lo que el usuario dispone de un mayor control sobre el equipo y la configuración. Windows 7 (al igual que Vista) elimina la palabra "Mis" que solía formar parte de los nombres de muchas carpetas. Por ejemplo, la carpeta Mis documentos de Windows XP ahora se llama simplemente Documentos. Igualmente, las carpetas Mis imágenes y Mi música ahora se llaman Imágenes y Música. Todas estas carpetas y otras las puede encontrar en su carpeta personal que aparece en el menú Inicio con el nombre que utiliza para iniciar sesión en el equipo.

Windows 7 presenta claros avances respecto a Vista, como el mejor reconocimiento de voz, táctil y escritura, soporte para discos virtuales, mejor arranque, mejoras en procesadores multinúcleo, interfaz rediseñada y mejorada, nueva barra de tareas con opciones como Aero Peek y Jump List, un sistema de redes domésticas llamado Grupo Hogar y mejoras en el rendimiento. Todo ello se tratará en este libro, que debe de ser una ayuda para principiantes en el trabajo con este sistema operativo y una buena herramienta de consulta rápida y ordenamiento de contenidos para usuarios más avanzados.

Capítulo 1

REQUISITOS, INSTALACIÓN E INICIO

1.1 REQUISITOS

Para instalar Windows 7, se necesitará como mínimo que el equipo disponga de un procesador x86 (32 bits) o x64 (64 bits) a 1 GHz o más rápido, 1 gigabyte de memoria RAM como mínimo para la versión de 32 bits y 2 gigabytes para la versión de 64 bits, una tarjeta gráfica de 128 megabytes de memoria y compatible con DirectX 9, 20 GB de espacio de disco con 16 GB disponibles durante la instalación y una unidad de DVD. Para la instalación desde la red se necesita adicionalmente una tarjeta adaptadora de red compatible, el cable adecuado y acceso a los recursos compartidos de red que contienen los archivos del programa de instalación. Se tendrá en cuenta lo siguiente:

- Acceso a Internet (puede tener requerimientos adicionales).

- Según la resolución, la reproducción de vídeo puede requerir memoria adicional y hardware gráfico avanzado.

- Es posible que algunos juegos y programas requieran tarjetas gráficas compatibles con DirectX 10 o superior para un rendimiento óptimo.

- Para algunas funcionalidades de Windows Media Center, es posible que necesite un sintonizador de TV y hardware adicional.

- Windows Touch y Tablet PCs requieren hardware específico.

- Grupo Hogar requiere una red y equipos que ejecuten Windows 7.

- Para la creación de DVD/CD se necesita una unidad óptica compatible.

- BitLocker requiere el Módulo de plataforma segura (TPM) 1.2.

- BitLocker To Go requiere una unidad flash USB.

- Windows XP Mode requiere 1 GB adicional de memoria RAM y 15 GB adicionales de espacio disponible en disco duro.

- Para escuchar música y sonidos se necesita una salida de audio.

- La funcionalidad del producto y los gráficos pueden variar en función de la configuración del sistema. Algunas funciones pueden requerir hardware avanzado o adicional.

- Windows 7 fue diseñado para trabajar con los procesadores actuales de varios núcleos. Todas las versiones de 32 bits de Windows 7 pueden admitir hasta 32 núcleos de procesadores, mientras que las versiones de 64 bits pueden admitir hasta 256 núcleos de procesadores.

- Servidores comerciales, estaciones de trabajo y otros equipos de última generación pueden tener más de un procesador físico. Windows 7 Professional, Enterprise y Ultimate admiten dos procesadores físicos, lo que permite obtener el mejor rendimiento en estos equipos. Windows 7 Starter, Home Basic y Home Premium reconocerán solamente un procesador físico.

1.2 INSTALACIÓN

Para instalar Windows 7 existen diferentes posibilidades. Es conveniente *actualizar a Windows 7* cuando se dispone de una versión de Windows previa ya instalada en el equipo y se desean conservar los archivos, valores de configuración y programas. Será adecuado instalar una nueva versión de Windows mediante una *instalación limpia*, cuando se desee sustituir el sistema operativo actual o cuando se desea instalar Windows en una partición separada del disco duro, existiendo ya un sistema operativo en el equipo y una partición disponible, o cuando se tiene un equipo sin ningún sistema operativo instalado. También es posible reinstalar Windows 7 cuando se desea restaurar la configuración predeterminada de Windows o cuando se tiene algún problema con Windows y se necesita reinstalarlo mediante una instalación limpia.

Antes de instalar Windows, deshabilite todos los programas antivirus y realice una copia de seguridad de los archivos en un disco duro externo, un DVD o un CD, una unidad flash USB o una carpeta de red.

1.2.1 Actualización

Ya sabemos que este tipo de instalación conviene cuando se desean mantener los archivos, opciones de configuración y programas de la versión actual de Windows.

Procedemos a la actualización de nuestro sistema operativo actual a Windows 7, insertando el disco de instalación de Windows en la unidad de DVD del equipo y haciendo clic en *Instalar ahora* en la pantalla Instalar Windows de la Figura 1.1. En la *pantalla Obtenga importantes actualizaciones para la instalación* (Figura 1.2), es recomendable que obtenga las actualizaciones más recientes para garantizar una instalación correcta y proteger el equipo frente a las amenazas de seguridad. Necesitará una conexión a Internet para obtener las actualizaciones de seguridad.

Figura 1.1

Figura 1.2

En la pantalla *Lea los términos de licencia* (Figura 1.3), haga clic en *Acepto los términos de licencia*. Pulse *Siguiente* y en la página *¿Qué tipo de instalación desea?* (Figura 1.4), haga clic en la opción *Actualización* para iniciar la actualización. Se obtiene la pantalla de la Figura 1.5, que muestra las diferentes tareas del proceso de instalación. Siga las instrucciones y después de la introducción de los datos de la cuenta de equipo y la clave del producto, Windows 7 se instalará después de tres reinicios del sistema.

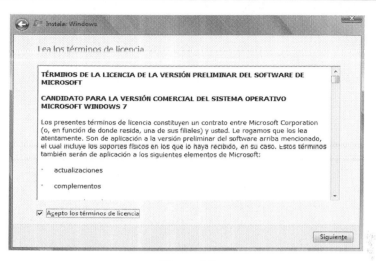

Figura 1.3

Figura 1.4

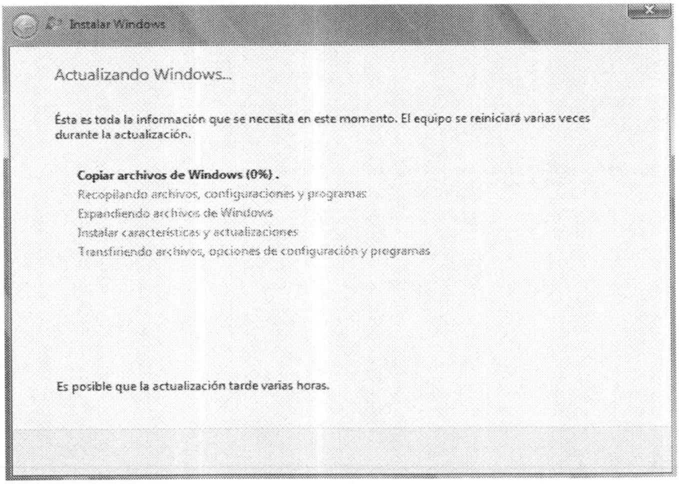

Figura 1.5

1.2.2 Instalación limpia

La instalación limpia se utiliza cuando el equipo no tiene ningún sistema operativo instalado, si desea eliminar el sistema operativo actual y sustituirlo por Windows 7 o si desea particionar el disco duro e instalar Windows 7 en una partición específica, con vistas a un arranque dual con otro sistema operativo.

Para realizar una instalación limpia, en la pantalla *¿Qué tipo de instalación desea?,* haga clic en *Personalizada* (Figura 1.4). A continuación, en la pantalla *¿Dónde desea instalar Windows?*, seleccione el lugar en el que desea instalar Windows (Figura 1.6). Si no desea particionar el disco duro, haga clic en *Siguiente*. La instalación se iniciará automáticamente. Si ya tiene una partición y desea tener más de un sistema operativo en el mismo equipo, puede instalar Windows en una partición específica (esto se conoce como *configuración de arranque dual* o de *arranque múltiple*). Si lo hace, asegúrese de instalar Windows en una partición diferente de la que contiene la versión actual de Windows.

Para instalar Windows en una partición existente, seleccione la partición que desee utilizar y, a continuación, haga clic en *Siguiente* para iniciar la instalación.

Hay que tener presente que si el equipo no tiene instalado ningún sistema operativo o si desea crear, ampliar, eliminar o formatear particiones, debe reiniciar el equipo con el disco de instalación insertado en la unidad de DVD. Esto hará que el equipo se inicie (o "arranque") desde el DVD de instalación. Si se le solicita que presione una tecla para arrancar desde el DVD, hágalo. Es entonces cuando aparece la página *Instalar Windows*, que permite realizar el proceso descrito anteriormente.

Si la página *Instalar Windows* no aparece y no se le solicita que presione una tecla para iniciar desde un DVD, es posible que tenga que especificar que el equipo usa su unidad de DVD como dispositivo de inicio configurando la BIOS adecuadamente.

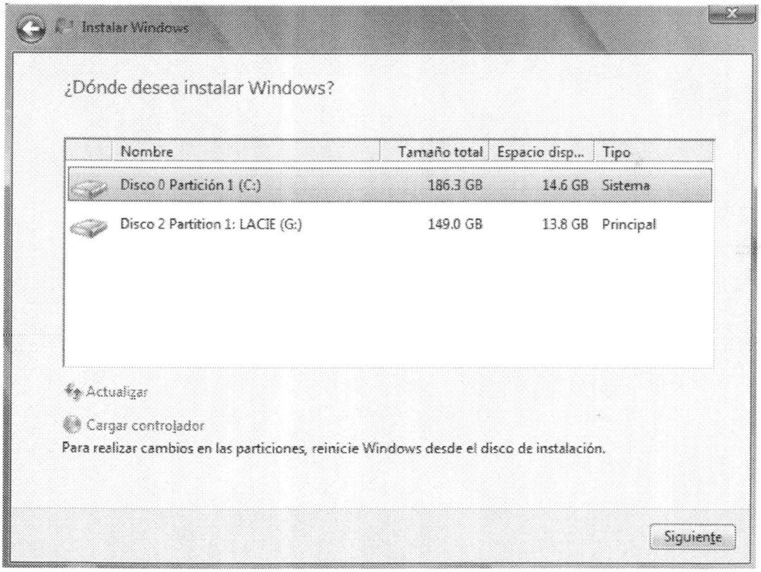

Figura 1.6

1.3 INICIO

La primera tarea al arrancar el sistema operativo Windows 7 es elegir el usuario e introducir la contraseña en la pantalla de bienvenida. La pantalla de bienvenida es la pantalla que se usa para iniciar sesión en Windows y que muestra todas las cuentas del equipo. Puede hacer clic en el nombre de usuario en lugar de escribirlo y puede alternar fácilmente de una cuenta a otra. En Windows XP, la pantalla de bienvenida se podía activar o desactivar, pero en Windows 7 no. El cambio rápido de usuario está activado. Una vez elegido usuario e introducida la contraseña, aparece la pantalla del escritorio de Windows de la Figura 1.7.

Figura 1.7

1.3.1 Comprobación de la seguridad tras el inicio. Centro de actividades de Windows

Cuando se inicia el trabajo con Windows es conveniente comprobar que está garantizado el mayor nivel de seguridad posible para el equipo. Para ello será necesario comprobar las siguientes características:

Centro de actividades de Windows: se utiliza para asegurarse de que no hay problemas de seguridad y mantenimiento. Especialmente se comprueba si el firewall esté activado, si el software antivirus esté actualizado y si el equipo esté configurado para que las actualizaciones se instalen automáticamente. Para ello se elige *Inicio → Panel de Control → Sistema y Seguridad → Centro de actividades* y se obtiene la pantalla del Centro de actividades de Windows de la Figura 1.8.

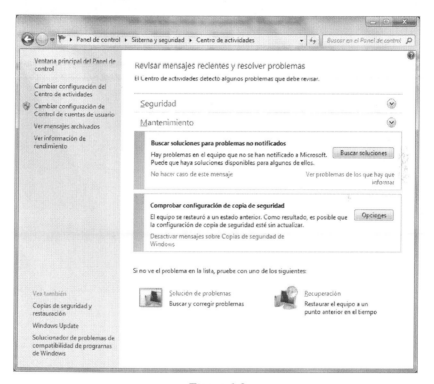

Figura 1.8

Si se hace clic en la flecha situada a la derecha de *Seguridad* en la Figura 1.8, se obtiene la Figura 1.9, en la que se observa que están activados el firewall de red, Windows Update, Protección antivirus, Protección contra *spayware* y software malintencionado, Configuración de seguridad de Internet, Control de cuentas de usuario y Protección de acceso a redes.

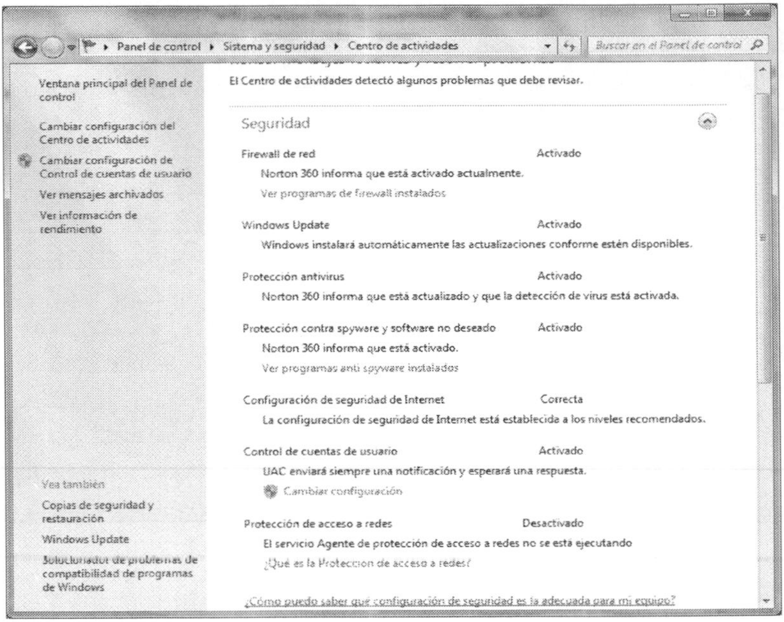

Figura 1.9

Firewall de Windows: ayuda a proteger su PC contra piratas informáticos y software malintencionado. La opción *Ver programas de firewall instalados* nos lleva a la Figura 1.10, que muestra los citados programas.

Windows Update: instala automáticamente las actualizaciones de Windows conforme están disponibles.

Protección antivirus: detecta si el PC está protegido mediante algún programa antivirus.

Protección contra spyware y software no deseado: detecta si el PC está protegido contra programas *spam* y similares. El programa que se encarga de esta tarea habitualmente es *Windows Defender* que se utiliza para impedir que el software malintencionado, como *spyware* o virus, infecte el equipo. La opción *Ver programas antispayware instalados* nos lleva a la Figura 1.11, que muestra los citados programas.

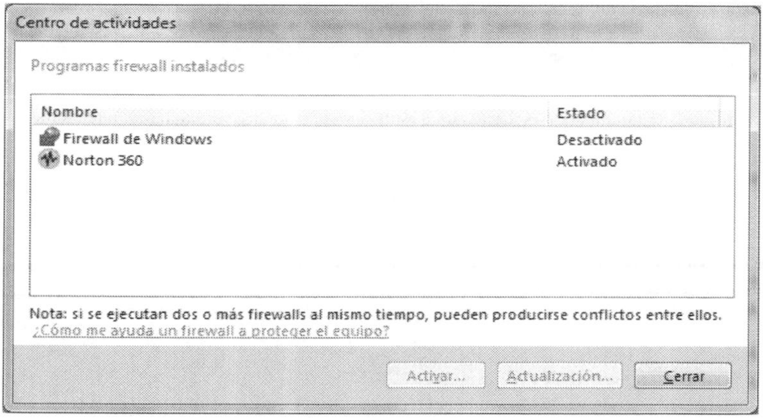

Centro de actividades

Programas firewall instalados

Nombre	Estado
Firewall de Windows	Desactivado
Norton 360	Activado

Nota: si se ejecutan dos o más firewalls al mismo tiempo, pueden producirse conflictos entre ellos.
¿Cómo me ayuda un firewall a proteger el equipo?

[Activar...] [Actualización...] [Cerrar]

Figura 1.10

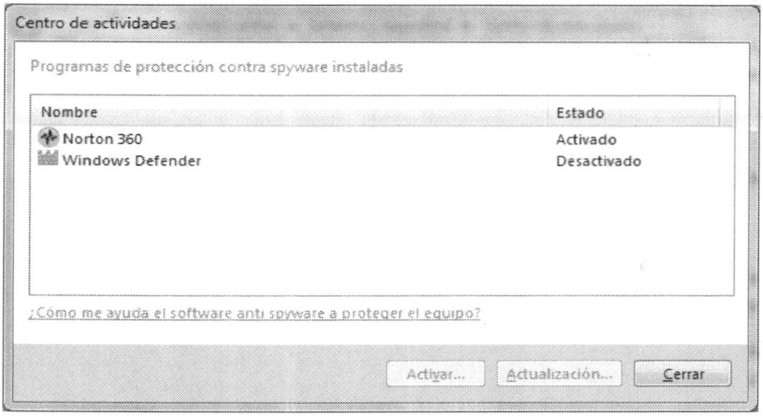

Centro de actividades

Programas de protección contra spyware instaladas

Nombre	Estado
Norton 360	Activado
Windows Defender	Desactivado

¿Cómo me ayuda el software anti spyware a proteger el equipo?

[Activar...] [Actualización...] [Cerrar]

Figura 1.11

Configuración de seguridad de Internet: se utiliza para controlar si la seguridad de Internet está establecida a los niveles deseados.

Control de cuenta de usuario: se utiliza para controlar mediante permisos la instalación de software y la apertura de determinados tipos de programas que podrían dañar el equipo o hacerlo vulnerable a amenazas de seguridad.

Protección de acceso a redes: comprueba si e servicio Agente de protección de acceso a redes se está ejecutando.

Si se hace clic en la flecha situada a la derecha de *Mantenimiento* en la Figura 1.8, se obtiene la Figura 1.12, en la que se observa que está activada la búsqueda de soluciones para los problemas notificados y la configuración de búsqueda de actualizaciones y de copia de seguridad.

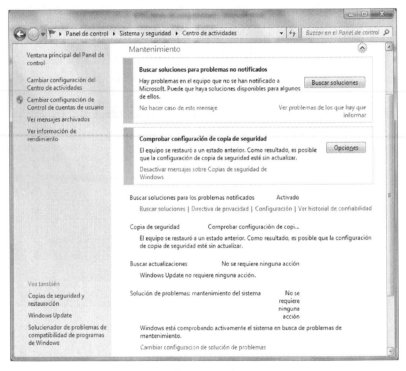

Figura 1.12

Copia de seguridad: se utiliza para realizar copias de seguridad periódicas de los archivos y configuración que posibiliten la recuperación de archivos en caso de que haya una infección por un virus o exista algún tipo de error de hardware.

Solución de problemas: el botón Solución de problemas de la parte inferior de la Figura 1.8 permite solucionar los problemas que presenta actualmente el equipo que se han observado en el Centro de actividades.

Restaurar sistema: el botón *Recuperación* de la parte inferior de la Figura 1.8 permite restaurar el equipo a un punto anterior en el tiempo.

1.3.2 Cambiar el sistema operativo predeterminado de inicio en instalación de arranque múltiple

Si se ha llevado a cabo una instalación con arranque múltiple tendremos más de un sistema operativo instalado en el equipo, en cuyo caso es posible seleccionar cuál se iniciará al encender el equipo. Para ello, se tendrá en cuenta lo siguiente:

1. Haga clic en *Inicio → Panel de control → Sistema y seguridad → Sistema → Configuración avanzada del sistema*.

2. Haga clic en la ficha *Avanzadas* (Figura 1.13) y después, en *Inicio y recuperación*, haga clic en *Configuración* (Figura 1.14).

3. En *Inicio del sistema*, en la lista *Sistema operativo predeterminado*, haga clic en el sistema operativo que desee usar cuando encienda o reinicie el equipo.

Para seleccionar qué sistema operativo desea usar al encender el equipo, active la casilla *Mostrar la lista de sistemas operativos por* en la Figura 1.14 y, a continuación, haga clic en el número de segundos que desea que se muestre la lista de sistemas operativos disponibles antes de que el sistema operativo predeterminado se inicie automáticamente.

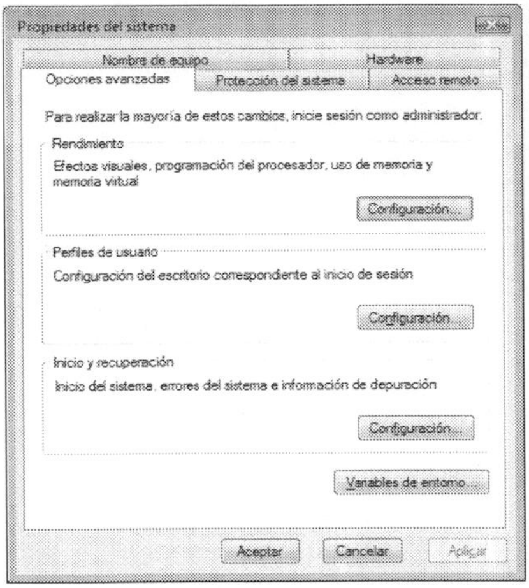

Figura 1.13 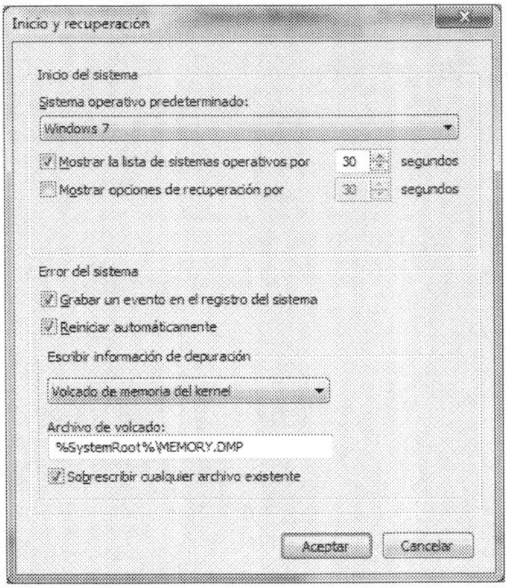   Figura 1.14

1.3.3 Ejecutar un programa automáticamente al iniciar Windows

Si el hábito de nuestro trabajo nos lleva a abrir siempre los mismos programas al encender el equipo (por ejemplo, un explorador Web o un programa de correo electrónico), podría resultar cómodo configurarlos para que se ejecuten automáticamente al iniciar Windows. Los programas o los accesos directos ubicados en la carpeta Inicio se ejecutarán siempre que se inicie Windows. Para ello:

1. Haga clic con el botón secundario del ratón en *Todos los programas* y, a continuación, haga clic en *Abrir* (Figura 1.15).

2. En la Figura 1.16 haga clic en la carpeta *Programas* y abra la ubicación que contiene el elemento para el que desee crear un acceso directo.

3. Haga clic con el botón secundario del ratón en el programa que se ejecute al iniciar Windows y, a continuación, haga clic en *Crear acceso directo* (Figura 1.17). El nuevo acceso directo aparecerá en la misma ubicación que el elemento original.

4. Arrastre el acceso directo hasta la carpeta Inicio (Figura 1.18).

5. La próxima vez que inicie Windows, el programa se iniciará automáticamente. Al borrar el acceso directo de la carpeta Inicio se deshabilita el inicio automático.

6. También puede hacer que un archivo determinado (como un documento de procesamiento de texto) se abra automáticamente arrastrando un acceso directo del archivo a la carpeta Inicio.

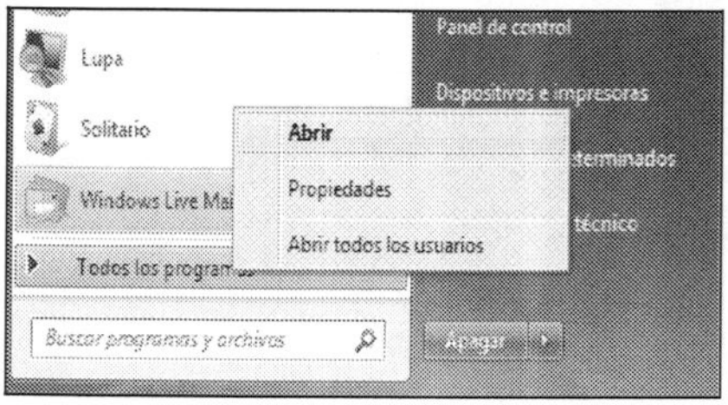

Figura 1.15

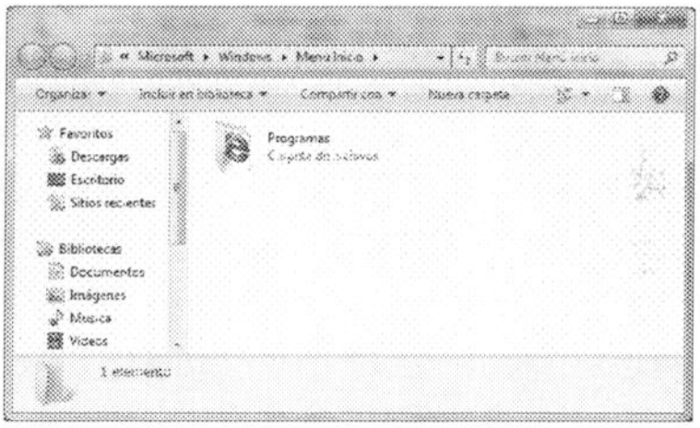

Figura 1.16

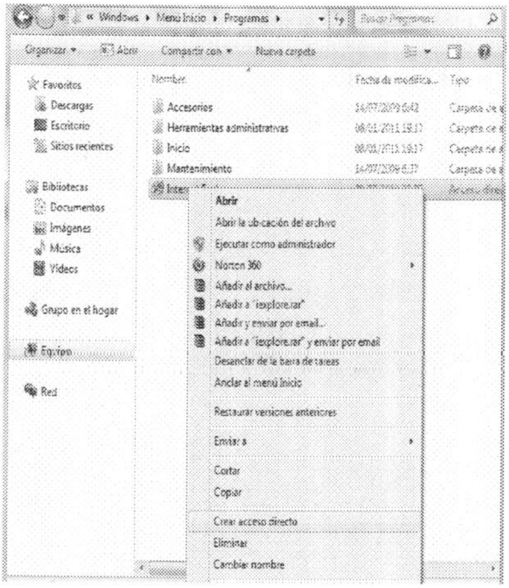

Figura 1.17

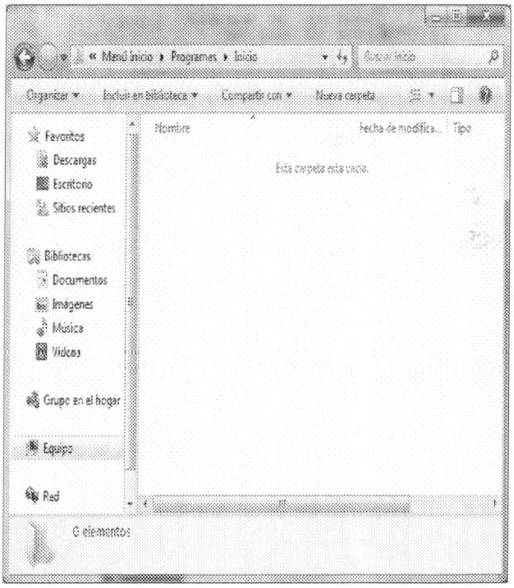

Figura 1.18

1.4 APAGAR, SUSPENDER, REINICIAR, HIBERNAR Y BLOQUEAR EL SISTEMA

Para apagar el sistema, se hace clic en *Inicio* y a continuación se hace clic en el botón *Apagar* situado en la parte inferior derecha del menú *Inicio* [Apagar ▸].

Al hacer clic con el ratón en el icono ▸ del botón [Apagar ▸] situado en la parte inferior derecha del menú *Inicio* se obtiene el menú emergente de la Figura 1.19. Para reiniciar su PC, haga clic en *Reiniciar*. Para guardar la sesión y pasar el equipo a estado de baja energía, para que pueda continuar trabajando rápidamente, haga clic en *Suspender*. Para bloquear el equipo, haga clic en *Bloquear*. Para cerrar la sesión actual y los programas, haga clic en *Cerrar sesión*. Esto cierra todos los programas, desconecta su PC de la red y prepara el equipo para que lo pueda utilizar otra persona. Para cambiar de usuarios sin cerrar los programas, haga clic en *Cambiar de usuario*. La opción *Hibernar* pasa el equipo a estado de hibernación.

Aunque la manera más adecuada de apagar transitoriamente el equipo es ponerlo en suspensión con la opción *Suspender*, y también la mejor opción para reanudar el trabajo rápidamente, en ciertas situaciones es necesario que apague el equipo con la opción *Apagar*. Es necesario apagar el equipo cuando se está agregando o actualizando el hardware del equipo, por ejemplo, instalando la memoria, una unidad de disco, una tarjeta de sonido o una tarjeta de vídeo. Apague el equipo y, a continuación, desconéctelo de la fuente de alimentación antes de continuar con la actualización.

También es necesario apagar el equipo cuando se está agregando una impresora, un monitor, una unidad externa u otro dispositivo de hardware que no está conectado a un bus serie universal (USB) o un puerto IEEE 1394 del equipo. Apague el equipo antes de conectar el dispositivo.

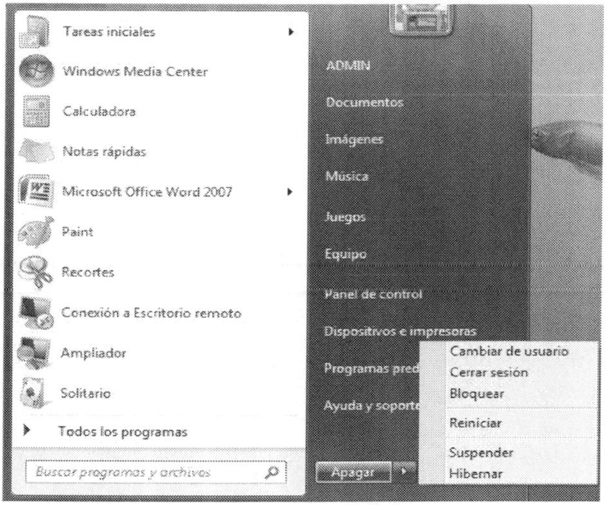

Figura 1.19

A diferencia de cuando usa el modo de suspensión del equipo, el apagado cierra todos los programas que están abiertos, así como Windows, y después se apagan la pantalla y el equipo completamente. Puesto que al apagar el equipo no se guarda el trabajo, debe guardar los archivos antes de apagarlo. Si inicia el equipo después de que se haya apagado, tardará más tiempo en activar el equipo que desde el modo de suspensión, normalmente 30 segundos o más dependiendo de la velocidad del equipo.

Al hacer clic en la opción *Suspender* de la Figura 1.19, el equipo entra en el *modo de suspensión*. En este caso Windows guarda el trabajo automáticamente, la pantalla se apaga y se detiene el ruido procedente del ventilador del equipo. Normalmente, una luz situada fuera de la caja del equipo parpadea o se vuelve amarilla para indicar que el equipo está en el modo de suspensión. El proceso completo dura sólo unos segundos. Como Windows guarda el trabajo, no es necesario que cierre los programas ni los archivos antes de poner el equipo en el modo de suspensión. La próxima vez que encienda el equipo (y escriba la contraseña, si es necesario), la pantalla tendrá la misma apariencia que cuando apagó el equipo.

Para activar el equipo, presione el botón de encendido situado en la caja del equipo. Puesto que no es necesario que espere a que Windows se inicie, el equipo se activa en unos segundos y puede reanudar el trabajo casi inmediatamente.

Mientras el equipo está en el modo de suspensión, consume muy poca energía para mantener el trabajo en la memoria. Si utiliza un PC portátil, no se preocupe, la batería no se agotará. Cuando el equipo ha estado en el modo de suspensión durante varias horas, o si la batería se está agotando, el trabajo se guarda en el disco duro y, a continuación, el equipo se apaga completamente, sin gastar energía. En algunos equipos, antes de pasar al modo de suspensión, Windows puede preguntarle si desea guardar los documentos y programas abiertos en el disco duro, lo que es muy similar a la *hibernación* que se obtiene mediante la opción *Hibernar* de la Figura 1.19. Este estado de suspensión se llama *suspensión híbrida*.

A veces se necesita reiniciar el equipo tras instalar un programa o una actualización. Para *reiniciar el equipo* se hace clic en la flecha situada en la parte inferior derecha del menú *Inicio* y se hace clic en *Reiniciar* en el menú emergente resultante (Figura 1.19). Se cerrarán todos los programas abiertos, se cerrará Windows y después se iniciará Windows de nuevo.

Haga clic en la opción *Bloquear* del menú de la Figura 1.19 para bloquear el equipo sin apagarlo. Una vez bloqueado, el equipo no se puede usar hasta que lo desbloquee con su contraseña.

1.5 CIERRE DE SESIÓN Y CAMBIO RÁPIDO DE USUARIO

Cuando se cierra sesión en Windows, todos los programas que estaba usando se cierran, pero el equipo no se apaga. Para cerrar sesión en Windows haga clic en el botón *Inicio* ●, haga clic en la flecha que aparece junto al botón *Apagar* ▨ y haga clic en *Cerrar sesión* en el menú resultante (Figura 1.19). Después de cerrar la sesión, otro usuario puede iniciar sesión sin tener que reiniciar el equipo.

Además, no necesita preocuparse por la posibilidad de perder la información si alguien apaga el equipo. Cuando termine de usar Windows, no es necesario que cierre sesión. Puede elegir bloquear el equipo o permitir que otra persona inicie sesión en el equipo mediante la función de *Cambio rápido de usuario*. Si bloquea el equipo, sólo usted o un administrador podrán desbloquearlo.

Windows 7 permite cambiar a una cuenta de usuario de equipo diferente sin antes cerrar los programas y los archivos, mediante el proceso de *Cambio rápido de usuario*. Con esta opción resulta más fácil compartir un equipo con otros usuarios. El *Cambio rápido de usuario* está activado de manera predeterminada. Si apaga el equipo mientras otro usuario aún tiene programas en ejecución, se perderán los archivos no guardados.

Para realizar el *Cambio rápido de usuario*, haga clic en el botón *Inicio* y, a continuación, en la flecha situada junto al botón *Apagar* . Haga clic en *Cambiar de usuario* en la Figura 1.19 y, a continuación, en el usuario al que desee cambiar. Asegúrese de guardar los archivos abiertos antes de cambiar de usuario, ya que Windows no guarda automáticamente los archivos que estén abiertos. Si cambia a un usuario diferente y éste apaga el equipo, se perderán los cambios no guardados que haya realizado en los archivos abiertos de la cuenta origen, desde la que se ha realizado el cambio.

1.6 ACTIVAR WINDOWS 7

La activación de Windows 7 se utiliza para comprobar que el programa es original y que no ha sido utilizado en más equipos de los que permiten los términos de licencia del software de Microsoft. De este modo, la activación ayuda a evitar la falsificación del software. Una copia activada de Windows permitirá utilizar el programa con todas sus características. Existe un plazo de 30 días tras la instalación de Windows para activarlo en línea o por teléfono. Si finaliza el período de 30 días antes de que se complete la activación, Windows dejará de funcionar. En ese caso, no podrá crear archivos nuevos ni guardar cambios en archivos existentes.

Para recuperar el uso normal del equipo, es necesario activar la copia de Windows. Si elige activar Windows en línea automáticamente cuando se configura el equipo, la validación automática empieza a intentar activar la copia de Windows tres días después de haber iniciado sesión por primera vez.

Para realizar la activación del producto, elegimos *Panel de control → Sistema y seguridad → Sistema*. Se obtiene la Figura 1.20, en cuya parte inferior hacemos clic sobre *Active Windows ahora*. Puede ser necesario introducir la clave del producto. De esta forma comienza el proceso de activación (Figura 1.21), que puede tardar unos minutos. Finalizado el proceso (Figura 1.22), ya podemos trabajar con el sistema operativo con todas sus capacidades habilitadas.

Figura 1.20

Figura 1.21 *Figura 1.22*

Capítulo 2

ESCRITORIO, PANEL DE CONTROL Y EXPLORADOR

2.1 ESCRITORIO DE WINDOWS 7

El escritorio es el área de la pantalla principal que se ve después de encender el equipo e iniciar sesión en Windows. El escritorio sirve de superficie de trabajo y en él aparecen los programas o las carpetas al abrirlos. En el escritorio se pueden colocar archivos y carpetas, y organizarlos como se desee.

El escritorio, en un sentido más amplio incluye la barra de tareas y Windows *Sidebar* (Figura 2.1). La barra de tareas se encuentra en la parte inferior de la pantalla. Muestra qué programas están ejecutándose y permite cambiar entre ellos. También contiene el botón *Inicio* 🔵, que se puede utilizar para obtener acceso a programas, carpetas y la configuración del equipo. En el lateral de la pantalla, Windows *Sidebar* contiene pequeños programas denominados *gadgets*.

Los programas al ejecutarse tapan el escritorio. Para ver el escritorio completo sin cerrar ninguno de los programas o ventanas abiertos, haga clic en el botón *Mostrar escritorio* ▌ situado a la derecha de la barra de tareas como último icono. De este modo el escritorio pasa a ser visible. Vuelva a hacer clic en el icono para restaurar el aspecto original de todas las ventanas. El botón ![icono] inicia Internet Explorer y nos da acceso a Internet.

Figura 2.1

Los iconos del escritorio son pequeñas imágenes que representan archivos, carpetas, programas y otros elementos. La primera vez que inicie Windows, aparecerá por lo menos un icono en el escritorio: la *Papelera de reciclaje* (Figura 2.2). No obstante, es habitual la presencia de otros iconos de uso común en el escritorio (Figura 2.3). Al hacer doble clic en un icono del escritorio, se inicia o abre el elemento que representa.

Figura 2.2

Figura 2.3

2.1.1 Accesos directos en el escritorio

Para tener un fácil acceso desde el escritorio a sus archivos o programas favoritos, se crean accesos directos a ellos. Un acceso directo es un icono que representa un vínculo a un elemento, en lugar del elemento en sí. Al hacer doble clic en un acceso directo, se abre el elemento correspondiente.

Si elimina un acceso directo, únicamente se quita el acceso directo, no el elemento original. Es posible identificar los accesos directos por la flecha incluida en sus iconos.

En general, un acceso directo es un vínculo con cualquier elemento al que se puede tener acceso desde el PC o en una red, como por ejemplo un programa, archivo, carpeta, unidad de disco, impresora u otro equipo. Es posible colocar accesos directos en el escritorio, en el *Menú Inicio* o en carpetas específicas.

Para *agregar un acceso directo al escritorio* se tendrá en cuenta lo siguiente:

1. Se elige el elemento para el que desea crear un acceso directo (por ejemplo el programa Internet Explorer del menú *Inicio*).

2. Se hace clic con el botón secundario en el elemento, se hace clic en *Enviar a* en el menú emergente resultante y, a continuación, se haga clic en la opción *Escritorio (crear acceso directo)* tal y como se indica en la Figura 2.4. De este modo aparece el icono de acceso directo en el escritorio, relativo al programa Internet Explorer (Figura 2.5).

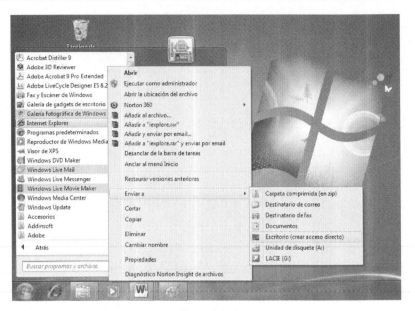

Figura 2.4

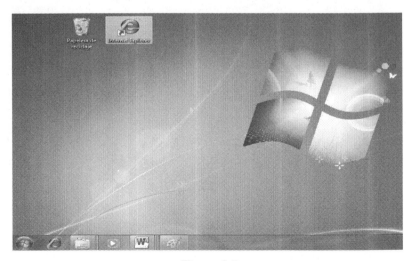

Figura 2.5

2.1.2 Iconos en el escritorio. Personalización

Habitualmente, los iconos más comunes a situar en el escritorio son *Equipo* (se envía al escritorio haciendo clic sobre él en el menú Inicio con el botón derecho del ratón y eligiendo la opción *Mostar en el escritorio* según la Figura 2.6), la *Papelera de reciclaje* (aparece por defecto), *Internet Explorer* (ya hemos visto como se envía al escritorio) y *Panel de control* (se envía al escritorio igual que *Equipo*). Para *agregar o quitar iconos comunes de escritorio* se tendrá en cuenta lo siguiente:

1. Haga clic con el botón secundario en un área vacía del escritorio y, a continuación, haga clic en *Personalizar* (Figura 2.7).

2. En el panel izquierdo de la Figura 2.8, haga clic en *Cambiar iconos del escritorio*.

3. En *Iconos del escritorio* (Figura 2.9), active la casilla de cada icono que desee agregar al escritorio, o desactive la casilla de cada icono que desee quitar del escritorio y, a continuación, haga clic en *Aceptar*.

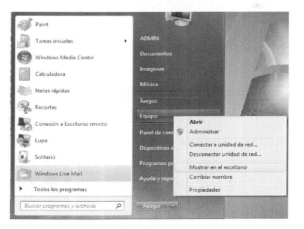

Figura 2.6

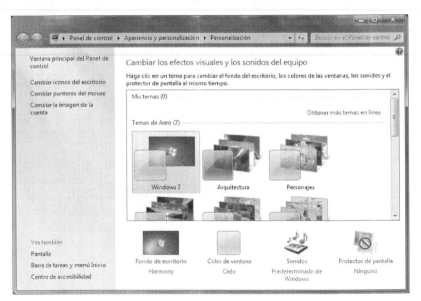

Figura 2.7

Figura 2.8

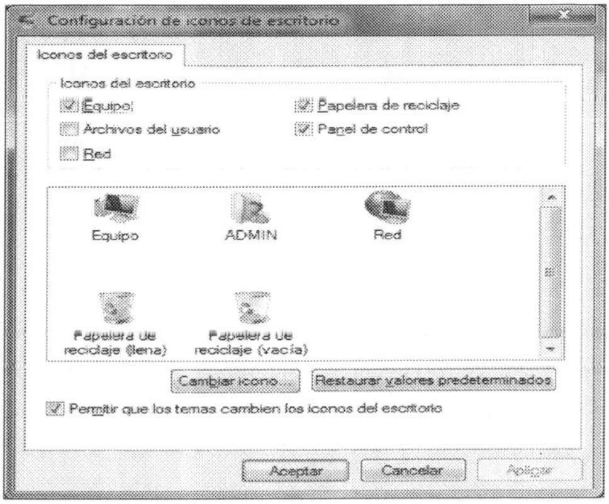

Figura 2.9

Para *mover un archivo de una carpeta al escritorio* abra la carpeta que contiene el archivo y arrastre el archivo al escritorio.

Para *quitar un icono del escritorio* haga clic con el botón secundario del ratón en el icono y, a continuación, haga clic en *Eliminar* en el menú emergente resultante (Figura 2.9a). Si el icono es un acceso directo, únicamente se quita el acceso directo y no se elimina el elemento original.

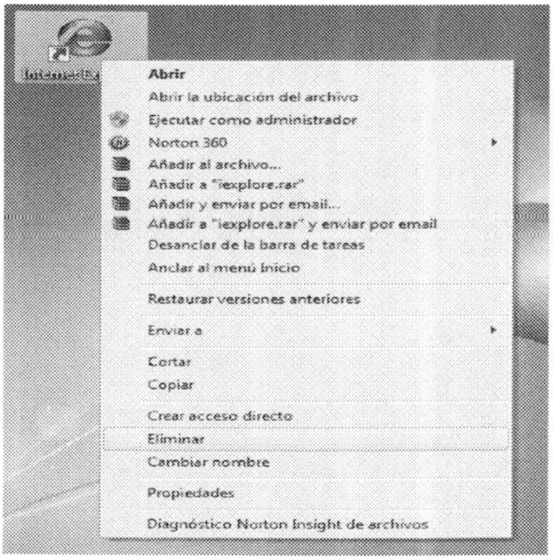

Figura 2.9a

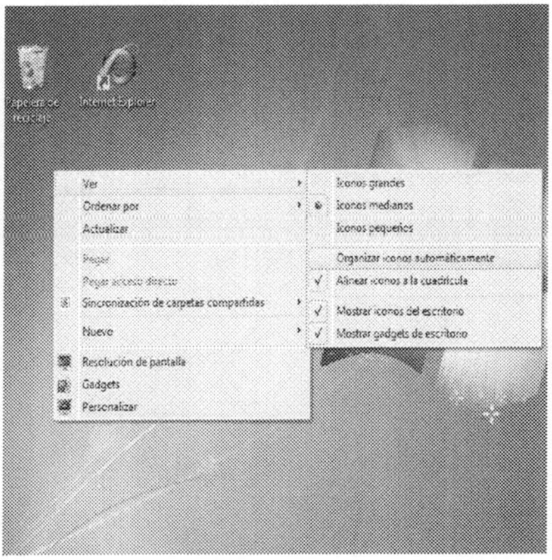

Figura 2.10

Windows apila los iconos en columnas en el lado izquierdo del escritorio, pero no tiene por qué limitarse a esta organización. Es posible *mover un icono* arrastrándolo (con el botón izquierdo del ratón pulsado sobre él) a un nuevo lugar en el escritorio. También es posible *hacer que Windows organice automáticamente los iconos.* Para ello haga clic con el botón secundario en un área vacía del escritorio, haga clic en *Ver* y, a continuación, haga clic en *Organización iconos automáticamente* (Figura 2.10).

Windows apila los iconos en la esquina superior izquierda y los deja bloqueados en su lugar. Para *desbloquear los iconos* de manera que pueda volver a moverlos, vuelva a hacer clic en *Organización iconos automáticamente*, quitando la marca de verificación situada al lado de esta opción en la Figura 2.10.

De manera predeterminada, Windows separa los iconos de un modo uniforme en una cuadrícula invisible. Para *acercar los iconos o separarlos con más precisión*, desactive la cuadrícula. Para ello haga clic con el botón secundario en un área vacía del escritorio, haga clic en *Ver* y, a continuación, haga clic en *Alinear icono a la cuadrícula* (Figura 2.10) para quitar la marca de verificación. Repita estos pasos para volver a activar la cuadrícula.

Para *mover o eliminar varios iconos simultáneamente*, en primer lugar debe seleccionarlos todos. Para ello haga clic en un área vacía del escritorio y arrastre el ratón hasta rodear los iconos que desea seleccionar con el rectángulo que aparece (Figura 2.11). A continuación, libere el botón del ratón. Ahora puede arrastrar los iconos como un grupo o eliminarlos.

Figura 2.11

Si desea *ocultar temporalmente todos los iconos del escritorio sin realmente quitarlos*, haga clic con el botón secundario en una parte vacía del escritorio, haga clic en *Ver* y, a continuación, haga clic en *Mostrar iconos del escritorio* para desactivar la casilla de esa opción. De este modo no se muestra ningún icono en el escritorio. Puede recuperarlos volviendo a hacer clic en *Mostrar iconos del escritorio* (Figura 2.10).

2.1.3 Papelera de reciclaje. Personalización

Cuando se elimina un archivo o una carpeta, no desaparece inmediatamente, sino que se mueve a la *Papelera de reciclaje*. Esta propiedad es muy útil porque, si se cambia de idea y se decide que se necesita un archivo eliminado, es posible recuperarlo de la *Papelera de reciclaje*. No obstante, si está seguro de que no volverá a necesitar los elementos eliminados, puede vaciar la *Papelera de reciclaje*. Al hacerlo, eliminará permanentemente los elementos que contiene y recuperará el espacio de disco que ocupaban.

La *Papelera de reciclaje* tiene dos apariencias distintas: una cuando está vacía y otra cuando contiene archivos o carpetas. Los iconos que representan la *Papelera de reciclaje* en sus dos estados diferentes simulan un vaso vacío y un vaso lleno (Figura 2.12).

Figura 2.12

Para *cambiar el aspecto de la Papelera de reciclaje* se tendrá en cuenta lo siguiente:

1. Elija *Panel de control* → *Apariencia y personalización* → *Personalización* (Figura 2.13).

2. Haga clic en *Cambiar iconos del escritorio*. Se obtiene la Figura 2.14.

3. En la lista de iconos del escritorio, haga clic en *Papelera de reciclaje (llena)* o *Papelera de reciclaje (vacía)*, y realice una de las siguientes acciones:

   o Para cambiar el icono de la Papelera de reciclaje, haga clic en *Cambiar icono*. Seleccione un icono de la lista y haga clic en *Aceptar*.

   o Para volver al icono original de la Papelera de reciclaje, haga clic en *Restaurar valores predeterminados*.

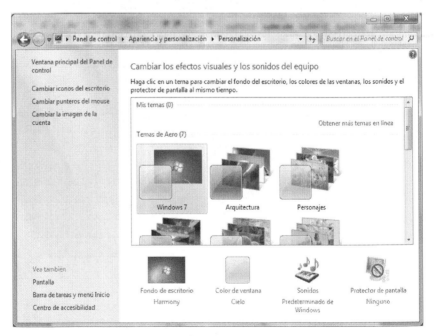

Figura 2.13

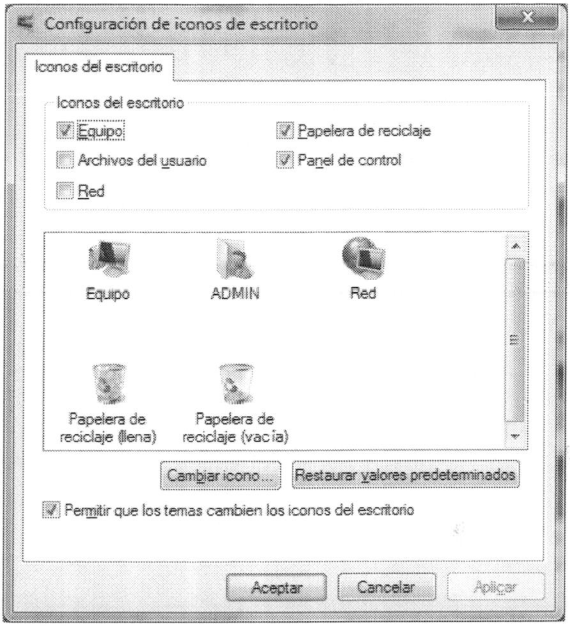

Figura 2.14

Por defecto, la *Papelera de reciclaje* aparece en el escritorio, pero si lo prefiere, puede ocultarla. Para *mostrar u ocultar la Papelera de reciclaje en el escritorio* se tendrá en cuenta lo siguiente:

1. Elija *Panel de control → Apariencia y personalización → Personalización* (Figura 2.13).

2. En el panel izquierdo, haga clic en *Cambiar iconos del escritorio* y, a continuación, realice una de las siguientes acciones:

    o Para que la *Papelera de reciclaje* no aparezca en el escritorio, desactive la casilla *Papelera de reciclaje* en la Figura 2.14.

o   Para mostrar la *Papelera de reciclaje* en el escritorio, active la casilla *Papelera de reciclaje*.

3.   Haga clic en *Aceptar*.

Aunque se oculte la *Papelera de reciclaje*, los archivos eliminados se almacenarán temporalmente en ella hasta el momento en que elija eliminarlos permanentemente.

Cuando se elimina un archivo del equipo, se almacena temporalmente en la *Papelera de reciclaje*. Esto normalmente ofrece la oportunidad de restaurar el archivo en su ubicación original si se da cuenta de que el archivo no debería haberse eliminado. Para eliminar permanentemente los archivos del equipo y recuperar el espacio del disco duro que ocupaban esos archivos, debe *eliminar permanentemente los archivos de la Papelera de reciclaje*. Para ello se tendrá en cuenta lo siguiente:

1.   Elija *Inicio → Todos los programas → Accesorios → Explorador de Windows* (Figura 2.15) y haga clic en *Escritorio* y a continuación en *Papelera de reciclaje* (Figura 2.16). Alternativamente haga doble clic en la *Papelera de reciclaje* en el escritorio.

2.   Para eliminar un archivo, haga clic en él y presione SUPR.

3.   Para eliminar todos los archivos, en la barra de herramientas haga clic en *Vaciar la Papelera de reciclaje* en la barra de herramientas.

Para *vaciar la Papelera de reciclaje sin abrirla antes*, haga clic con el botón secundario en la *Papelera de reciclaje* (en el Explorador de Windows o en el escritorio) y a continuación haga clic en *Vaciar la Papelera de reciclaje* (Figuras 3-17 y 3-18). Para *eliminar permanentemente un archivo del equipo sin enviarlo antes a la Papelera de reciclaje*, haga clic en el archivo y presione MAYÚS + SUPR.

Figura 2.15   Figura 2.16

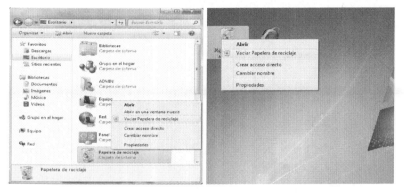

Figura 2.17   Figura 2.18

Para *recuperar de la Papelera de reciclaje los archivos que se hayan eliminado y restaurarlos de nuevo en el equipo* se tendrá en cuenta lo siguiente:

1. En el escritorio, haga doble clic en *Papelera de reciclaje*.

2. Para restaurar un archivo, haga clic con el botón secundario del ratón en él y, a continuación, haga clic en *Restaurar* (Figura 2.19).

3. Para restaurar todos los archivos, en la barra de herramientas haga clic en haga clic en *Restaurar todos los elementos* (Figura 2.20).

Los archivos se restauran en su ubicación original en el equipo.

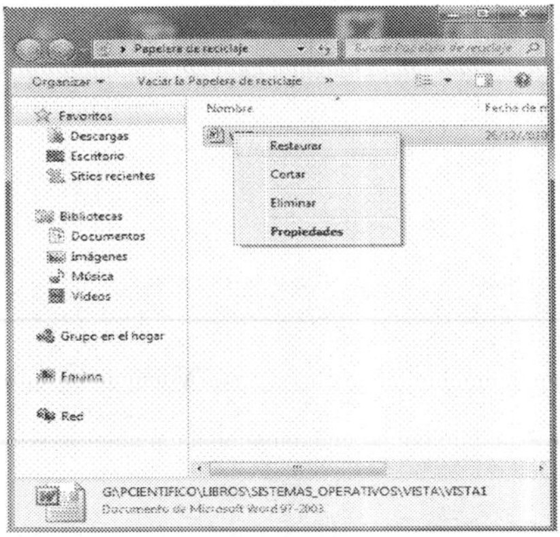

Figura 2.19 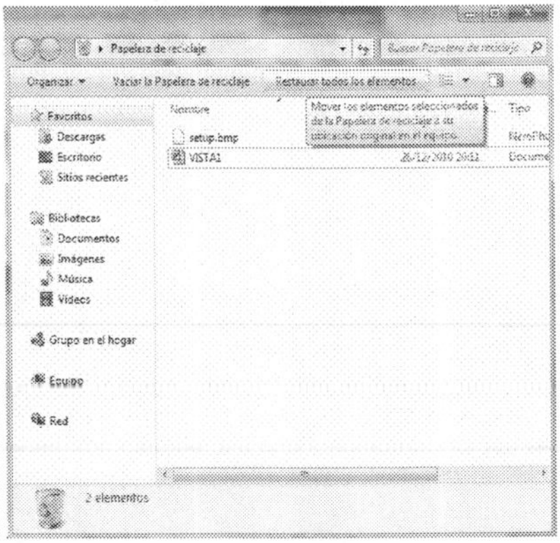   Figura 2.20

Es posible personalizar la configuración de la *Papelera de reciclaje*. Por ejemplo, se puede aumentar el tamaño máximo de almacenamiento de la Papelera de reciclaje o desactivar el cuadro de diálogo de confirmación que aparece cada vez que se envían archivos a la *Papelera de reciclaje*, o incluso es posible decidir no mover los archivos a la *Papelera de reciclaje* y que se quiten inmediatamente del equipo cuando se eliminen. Para *personalizar la Papelera de reciclaje* se tendrá en cuenta lo siguiente:

1. En el escritorio, haga clic con el botón secundario en *Papelera de reciclaje* y, después, haga clic en *Propiedades* (Figura 2.21).

2. Haga clic en la ficha *General* (Figura 2.22) y, a continuación, realice una de las acciones siguientes:

o Para *configurar el tamaño máximo de almacenamiento de la Papelera de reciclaje*, escriba un número en el cuadro *Tamaño máximo*, que establece el tamaño máximo de la *Papelera de reciclaje* (expresado en megabytes) para la *Papelera de reciclaje* seleccionada en *Ubicación de la Papelera de reciclaje*.

o Para *desactivar el cuadro de diálogo de confirmación de la eliminación*, desactive la casilla *Mostrar cuadro de diálogo para confirmar eliminación*.

o Para *quitar de inmediato los archivos del equipo cuando se eliminan*, haga clic en *No mover archivos a la Papelera de reciclaje*. Al hacer esto, los archivos se quitan permanentemente cuando se eliminan.

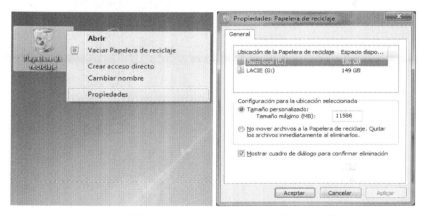

Figura 2.21   *Figura 2.22*

2.2 MENÚ INICIO

El menú *Inicio* es la puerta de entrada principal a los programas, las carpetas y la configuración del equipo. Se utiliza para iniciar programas, abrir carpetas usadas habitualmente, buscar archivos, carpetas y programas, ajustar la configuración del equipo, obtener ayuda sobre el sistema operativo, apagar el equipo, cerrar sesión en Windows o cambiar a una cuenta de usuario diferente.

Para abrir el menú *Inicio* (Figura 2.23), haga clic en el botón *Inicio* ● en la esquina inferior izquierda de la pantalla (etiquetado con el número 2), o bien, presione la tecla del logotipo de Windows ⊞ del teclado.

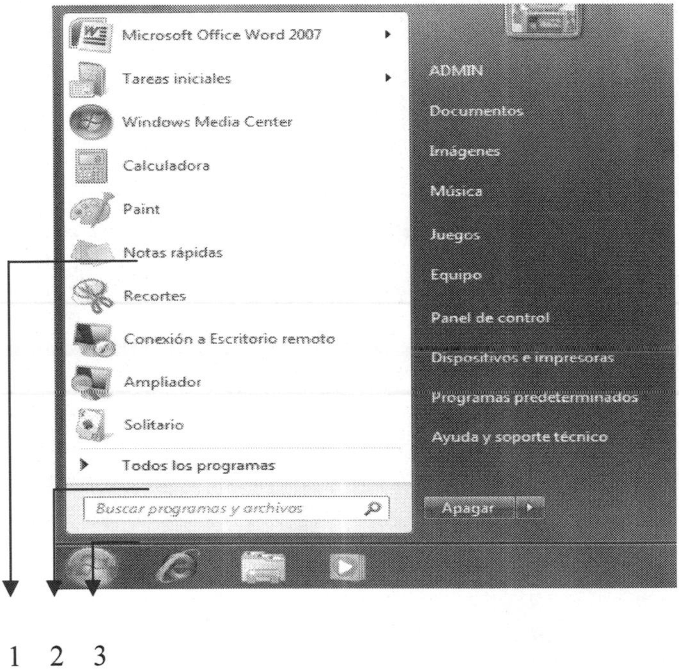

1   2   3

Figura 2.23

El menú *Inicio* se divide en tres partes fundamentales: el panel izquierdo grande etiquetado con el número 1 en la Figura 2.23 y que muestra una lista breve de los programas del equipo. El fabricante del equipo puede personalizar esta lista, por lo que su apariencia exacta variará. Si hace clic en *Todos los programas*, se muestra una lista completa de programas (Figura 2.24).

En la esquina inferior izquierda, se encuentra el cuadro de búsqueda etiquetado con el número 2 y que permite buscar programas y archivos en el equipo, escribiendo para ello el nombre del elemento que desea buscar. El panel derecho proporciona acceso a las carpetas, archivos, valores de configuración y características que se utilizan con más asiduidad. Este componente es también donde se cierra sesión en Windows o se apaga el equipo.

Figura 2.24

Uno de los usos más habituales del menú *Inicio* es el de abrir programas instalados en el equipo. Para abrir un programa mostrado en el panel izquierdo del menú *Inicio*, haga clic en él. El programa se abre y se cierra el menú *Inicio*. Si no ve el programa que desea abrir, haga clic en la opción *Todos los programas* situada en la parte inferior del panel izquierdo. Inmediatamente, el panel izquierdo muestra una larga lista de programas en orden alfabético, seguida de una lista de carpetas (Figura 2.23). Si hace clic en uno de los iconos de programa, se inicia el programa y se cierra el menú *Inicio*. Si hace clic en una carpeta aparecen los programas de esa carpeta. Por ejemplo, si hace clic en *Accesorios*, aparece una lista de programas almacenados en esa carpeta (Figura 2.25). Haga clic en cualquier programa para abrirlo. Para volver a los programas que vio cuando abrió el menú *Inicio* por primera vez, haga clic en la opción *Atrás* situada cerca de la parte inferior del menú.

Se observa que, con el tiempo, las listas de programas del menú *Inicio* cambian. Esto se debe a dos motivos. En primer lugar, cuando instale nuevos programas, éstos se agregan a la lista *Todos los programas*. En segundo lugar, el menú *Inicio* detecta qué programas utiliza con más frecuencia y los coloca en el panel izquierdo para que pueda tener acceso a ellos rápidamente.

Figura 2.25

El *cuadro de búsqueda* es otro de los elementos importantes del menú *Inicio* (Figura 2.26). Para utilizarlo, abra el menú *Inicio* y comience a escribir en el cuadro de búsqueda sobre el texto *Buscar programas y archivos*. A medida que vaya escribiendo, irán apareciendo los resultados encima del cuadro de búsqueda, en el menú *Inicio* (Figura 2.27). Un programa, archivo o carpeta puede aparecer en los resultados de la búsqueda si una palabra de su título coincide con el término de búsqueda o empieza por él. También si un texto del contenido del archivo coincide con el término de búsqueda o empieza por él, o también si cualquier palabra de una propiedad del archivo, por ejemplo, el autor, coincide con el término de búsqueda o empieza por él.

Haga clic en cualquier resultado de la búsqueda para abrirlo, o bien, haga clic en el botón *Borrar* ✖ de la parte derecha del cuadro de búsqueda (Figura 2.7), para borrar los resultados de la búsqueda y volver a la lista de programas principal. En la Figura 2.27 también puede hacer clic en *Buscar en todas partes* para buscar en todo el equipo o en *Buscar en Internet* para abrir el explorador Web y buscar el término en Internet.

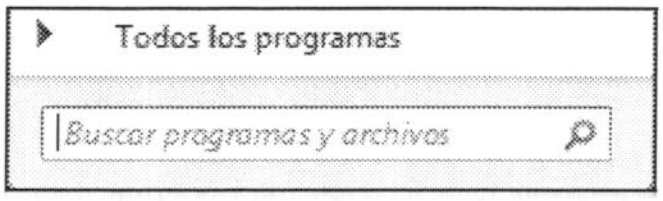

Figura 2.26

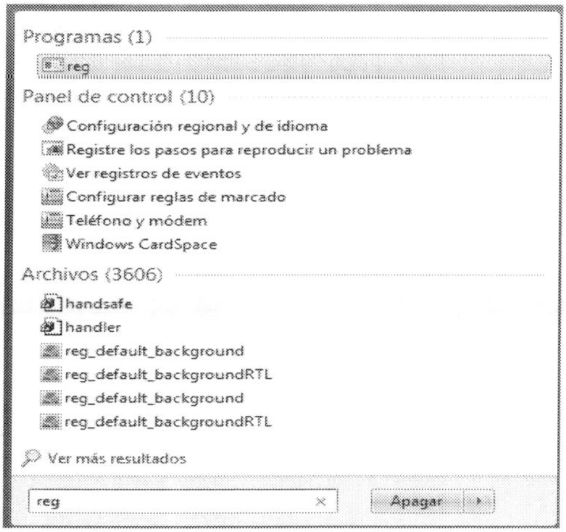

Figura 2.27

Además de en los programas, los archivos, las carpetas y la correspondencia, el cuadro de búsqueda también busca en los favoritos de internet y en el historial de sitios Web que ha visitado. Si algunas de estas páginas Web incluyen el término de la búsqueda, aparecen bajo un encabezado denominado "Favoritos e Historial".

Otro elemento importante del menú *Inicio* es el panel derecho, que contiene vínculos a componentes de Windows que se utilizan con frecuencia. Estos componentes, de arriba a abajo, son los siguientes:

Carpeta personal. Abre la carpeta personal (Figura 2.28), que tiene el nombre de la persona que actualmente haya iniciado sesión en Windows. Esta carpeta, a su vez, contiene archivos específicos del usuario, incluidas las carpetas Documentos, Música, Imágenes y Vídeos.

Figura 2.28

Documentos. Abre la carpeta Documentos (Figura 2.29), en la que puede almacenar y abrir archivos de texto, hojas de cálculo, presentaciones y otros tipos de documentos.

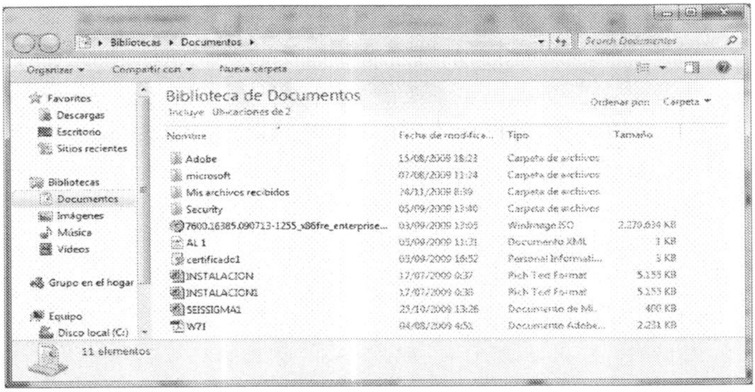

Figura 2.29

Imágenes. Abre la carpeta Imágenes (Figura 2.30), donde se puede almacenar y ver fotografías digitales y archivos gráficos.

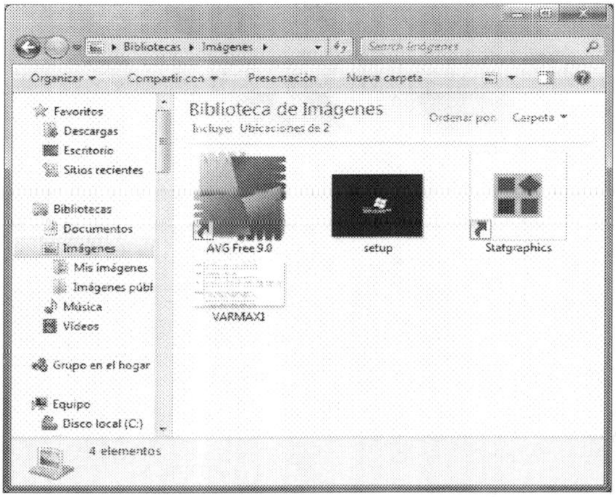

Figura 2.30

Música. Abre la carpeta Música (Figura 2.31), donde se puede almacenar y reproducir música y otros archivos de audio.

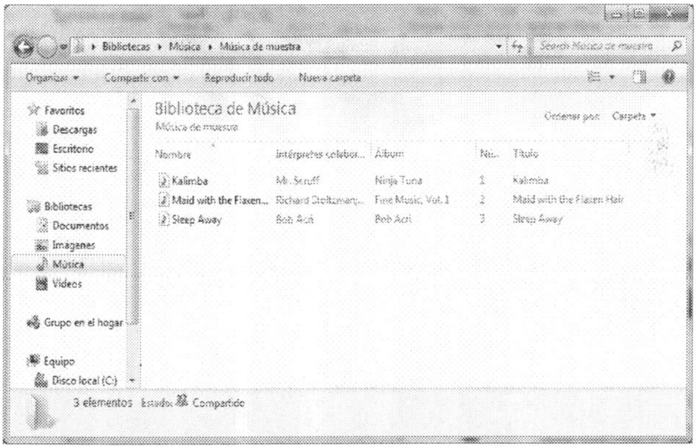

Figura 2.31

Juegos. Abre la carpeta Juegos (Figura 2.32), donde se puede obtener acceso a todos los juegos del equipo.

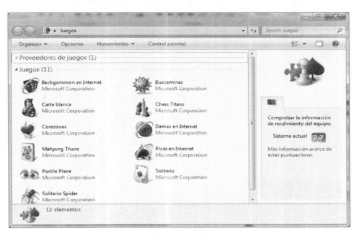

Figura 2.32

Equipo. Sustituye a Mi PC de Windows XP y abre una ventana donde se puede obtener acceso a unidades de disco, cámaras, impresoras, escáneres y otro hardware conectado al equipo (Figura 2.33).

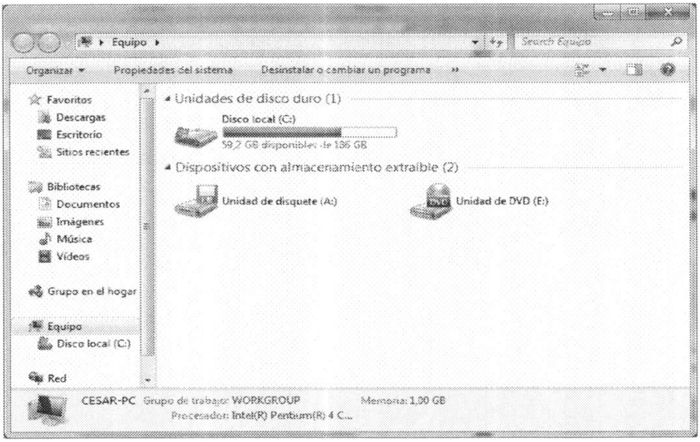

Figura 2.33

Panel de control. Abre el Panel de control (Figura 2.34), donde se puede personalizar la apariencia y la funcionalidad del equipo, agregar o quitar programas, configurar las conexiones de red y administrar las cuentas de usuario.

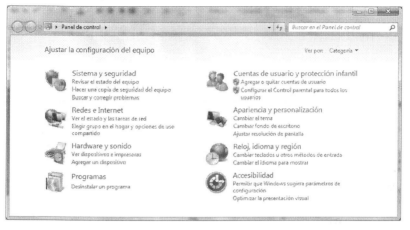

Figura 2.34

Dispositivos e impresoras. Abre una ventana donde se muestran las impresoras, faxes y otros dispositivos similares configurados en el equipo (Figura 2.35).

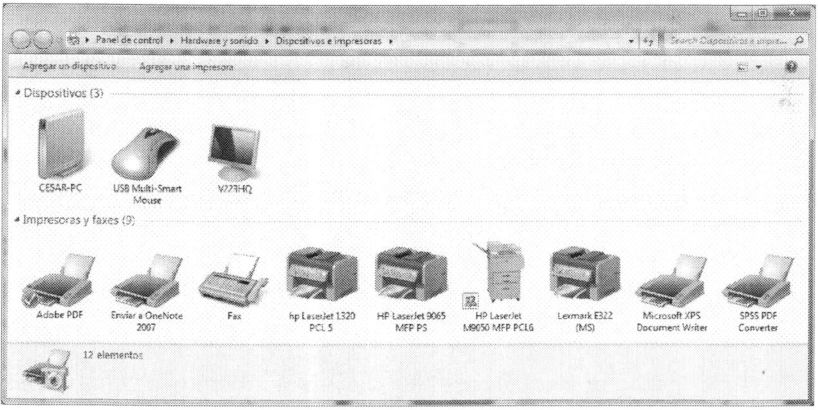

Figura 2.35

Programas predeterminados. Abre una ventana donde puede elegir qué programa desea que Windows utilice para realizar actividades tales como explorar la Web, editar imágenes, enviar correo electrónico y reproducir música y vídeos (Figura 2.36).

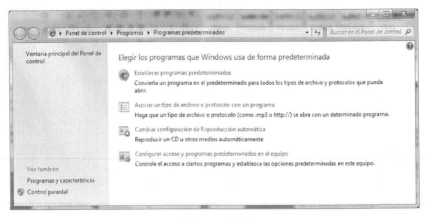

Figura 2.36

Ayuda y soporte técnico. Abre la Ayuda y soporte técnico de Windows, donde puede examinar y buscar temas de Ayuda sobre el uso de Windows y del equipo.

En la parte inferior del panel derecho se encuentra el botón *Apagar* (Figura 2.36). Si hace clic en la flecha situada junto al botón de bloqueo, se muestra un menú con opciones adicionales para cambiar de usuario, cerrar sesión, bloquear, reiniciar, suspender o hibernar (Figura 2.37).

Figura 2.37

Si hace clic en la flecha situada junto al botón de bloqueo, se muestra un menú con opciones adicionales para cambiar de usuario, cerrar sesión, reiniciar, suspender o apagar.

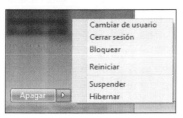

Figura 2.38

2.2.1 Barra de tareas. Personalización

La barra de tareas es la barra horizontal situada en la parte inferior de la pantalla. Al contrario que el escritorio, que puede quedar oculto tras las ventanas situadas encima, la barra de tareas resulta visible prácticamente en todo momento. Se divide en cuatro secciones principales (Figura 2.39):

El *botón Inicio* ⬤, que abre el menú *Inicio*.

La barra de herramientas *Inicio rápido*, que le permite iniciar programas con un solo clic (*Explorer*, *Explorador de Windows* y *Windows Media*).

La sección intermedia, que muestra las aplicaciones que tiene abiertas y permite cambiar rápidamente entre ellas.

El área de notificación, que muestra iconos pequeños que indican la actividad de programas como Internet, altavoces, Centro de actividades, etc.. Por último, en el extremo derecho de la barra de tareas, se observa el rectángulo *Mostrar Escritorio* que permite observar el escritorio de Windows vacío aunque haya varios programas abiertos.

Figura 2.39

La barra de herramientas *Inicio rápido* contiene accesos directos a programas que se utilizan con frecuencia y se encuentra de manera predeterminada a la derecha del botón *Inicio*. El área de notificación contiene accesos directos a programas y a información de estado importante y se encuentra situada a la derecha de la barra de tareas.

Al situar el puntero del ratón sobre el icono de cualquier aplicación abierta de la barra de tareas, se obtiene una vista previa en miniatura de todos los documentos abiertos actualmente relativos a esa aplicación. En la Figura 2.40 se ha situado el ratón sobre el icono de la aplicación Word en la barra de tareas y se observan en miniatura todos los documentos Word abiertos actualmente. Si se hace clic sobre cualquier miniatura se maximizará el documento. Del mismo modo, si se sitúa el puntero del ratón sobre el icono *Explorador de Windows* de la barra de tareas, se presenta una previsualización de todas las carpetas abiertas en este momento (Figura 2.41). Haciendo clic sobre cualquiera de ellas se accede a su contenido.

Figura 2.40

Figura 2.41

Las vistas previas de la ventana de la barra de tareas no funcionarán si no se está ejecutando en el equipo Windows Aero, la experiencia visual avanzada de Windows 7. Aero no está disponible en Windows 7 Starter o Windows 7 Home Basic.

El área de notificación, situada en el extremo derecho de la barra de tareas, incluye un reloj y un grupo de iconos (Figura 2.42). Estos iconos indican el estado de alguna parte del equipo o proporcionan acceso a determinados valores de configuración. El conjunto de iconos que vea dependerá de qué programas o servicios tenga instalados y de cómo el fabricante haya configurado el equipo. Al mover el puntero hacia un icono concreto, verá el nombre de ese icono o el estado de una configuración. Por ejemplo, al señalar el icono de *volumen*  se muestra el nivel actual del volumen del equipo. Al señalar el icono de *red* se muestra la información que indica si está conectado a una red.

Figura 2.42

Si hace doble clic en un icono del área de notificación, normalmente se abre el programa o la configuración asociada a él. Por ejemplo, si hace doble clic en el icono de *volumen*, se abren los controles del volumen. En ocasiones, un icono del área de notificación mostrará una ventana emergente pequeña (denominada notificación) para notificarle algo. Por ejemplo, después de agregar un nuevo dispositivo de hardware al equipo, puede ver la Figura 2.43.

Figura 2.43

Es posible *personalizar la barra de tareas* para que se ajuste a sus preferencias. Por ejemplo, puede cambiar el tamaño de la barra de tareas fácilmente.

Para *desbloquear la barra de tareas* haga clic con el botón secundario en un área vacía de la barra de tareas. Se obtiene el menú emergente de la Figura 2.44. Si la opción *Bloquear la barra de tareas* muestra una marca de verificación, indica que la barra de tareas está bloqueada. Para desbloquearla, haga clic en *Bloquear la barra de tareas* (desaparece la marca de verificación). Para *bloquear la barra de tareas* en su posición, haga clic con el botón secundario en un área vacía de la barra de tareas y, a continuación, haga clic en *Bloquear la barra de tareas* (aparece la marca de verificación).

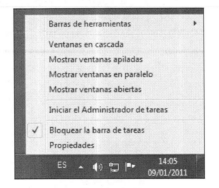

Figura 2.44

Puede *cambiar el tamaño de la barra de tareas* y crear espacio adicional para los botones y las barras de herramientas, haga clic con el botón secundario del ratón en un área vacía de la barra de tareas. Si la opción *Bloquear la barra de tareas* del menú emergente resultante muestra una marca de verificación, indica que la barra de tareas está bloqueada. Haga clic en *Bloquear la barra de tareas* para desbloquearla (desaparece la marca de verificación). Señale el borde de la barra de tareas hasta que el puntero cambie a una flecha de doble punta ↕ y, a continuación, arrastre el borde para cambiar la barra de tareas al tamaño que desee.

Para *ocultar la barra de tareas*, desactive la casilla *Bloquear la barra de tareas* del menú emergente de la Figura 2.44, haga clic en *Propiedades* en la Figura 2.44 y active la casilla *Ocultar automáticamente la barra de tareas* en la Figura 2.45. La barra de tareas se oculta. Puede verla de nuevo si señala el lugar donde la vio por última vez. Si no puede recordar dónde la vio, intente señalar en primer lugar la parte inferior de la pantalla y, a continuación, en el lado o la parte superior si es necesario. Es posible que deba mover el puntero casi fuera de la pantalla para mostrar la barra de tareas. En la Figura 2.45 también es posible bloquear y desbloquear la barra de tareas, ocultar automáticamente la barra de tareas, definir la ubicación de la barra de tareas en pantalla (inferior, izquierda, derecha o superior) y la ubicación de los botones en la barra de tareas, elegir elementos para el área de notificación y usar Aero Peek para obtener una vista previa del escritorio.

El botón *Personalizar* de la zona área de notificación de la Figura 2.45 nos lleva a la Figura 2.46 cuyas opciones permiten decidir los elementos que aparecerán en ella.

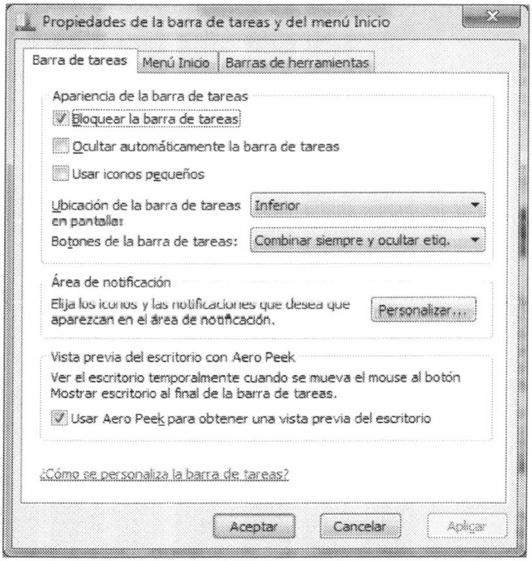

Figura 2.45

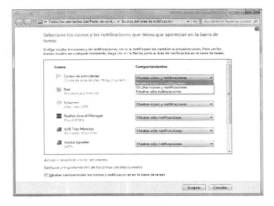

Figura 2.46

La pestaña *Barra de herramientas* de la Figura 2.45 permite *personalizar la barra de herramientas* a partir de las opciones de la Figura 2.47. Es posible añadir a la barra de tareas las barras de herramientas seleccionadas en la Figura 2.47.

La pestaña *Menú Inicio* de la Figura 2.45 permite *personalizar el menú Inicio* a partir de las opciones de la Figura 2.48. El botón *Personalizar* de la Figura 2.48 nos lleva a la Figura 2.49 con opciones avanzadas de personalización.

Figura 2.47 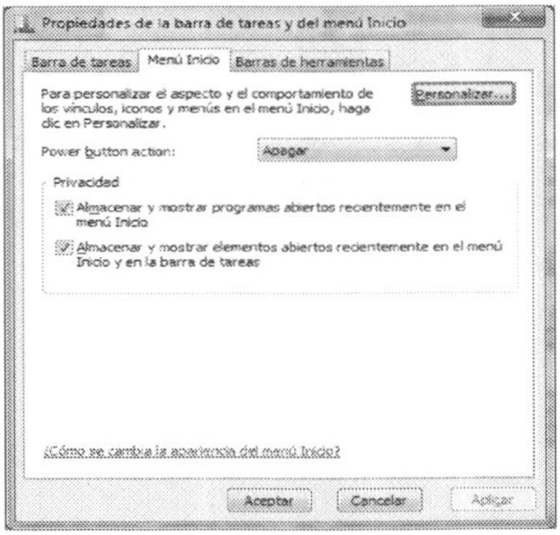   *Figura 2.48*

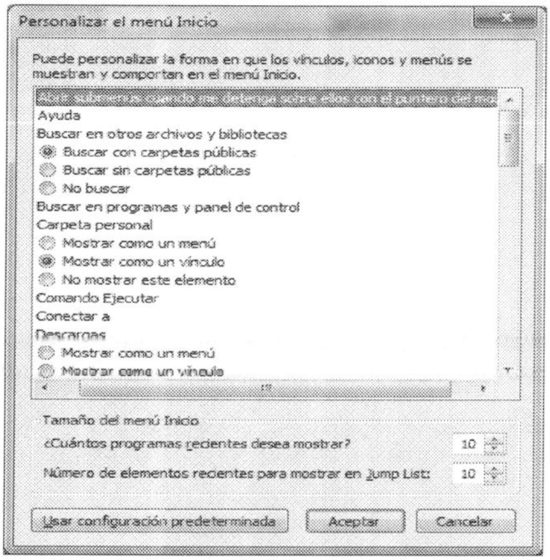

Figura 2.49

2.2.2 Aero Snaps, Aero Shake, Aero Peek y Jump List

Aero Snaps es una característica de Windows 7 que permite cambiar el tamaño de una ventana cuando se arrastra a un extremo de la pantalla. Si se arrastra al tope se maximiza, si se arrastra a la derecha o izquierda ocupa el 50% de la pantalla según el lado al que la arrastremos y si la arrastramos nuevamente al centro toma el tamaño original.

Aero Shake es una nueva característica del Explorador de Windows 7 consistente en que cuando se tienen varias ventanas abiertas, al seleccionar una y agitarla, las otras ventanas abiertas se minimizan (Figura 2.50), al repetir esta acción, las ventanas vuelven a su ubicación anterior.

Aero Peek es una nueva característica de la barra de tareas consistente en que cuando se sitúa el ratón sobre una aplicación abierta éste muestra una previsualización de la ventana donde muestra el nombre y la visualización de su contenido (Figura 2.51). Si nos situamos con el ratón sobre la previsualización, se observa la aplicación abierta a tamaño completo (Figura 2.52).

Figura 2.50

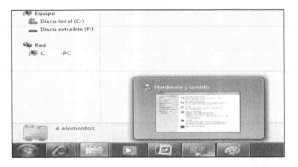

Figura 2.51

Figura 2.52

Jump List es una nueva característica de la barra de tareas que permite ir directamente a los documentos, las imágenes, las canciones o los sitios web a los que se recurre habitualmente. Para abrir los elementos de Jump List, haga clic con el botón secundario en el icono de un programa en la barra de tareas de Windows 7 con varias tareas abiertas o en el menú Inicio (Figura 2.53).

Lo que aparece en una Jump List depende exclusivamente del programa. Por ejemplo, Jump List para Internet Explorer 8 muestra los sitios web visitados con frecuencia últimamente (Figura 2.53). Jump Lists no sólo muestran accesos directos a los archivos. A veces también ofrecen acceso rápido a comandos para componer nuevos mensajes de correo electrónico o reproducir música.

Figura 2.53

2.2.3 *Gadgets*

En el escritorio de Windows 7 es posible situar miniprogramas llamados *gadgets*, que ofrecen información rápida visual y que proporcionan acceso fácil a las herramientas de uso frecuente (Figura 2.54). Puede utilizar *gadgets* para mostrar una presentación de imágenes, ver titulares actualizados continuamente o examinar contactos.

Figura 2.54

Entre los *gadgets* por defecto más importantes se encuentran el reloj, presentación y encabezado de fuente. Cuando señala el *gadget Reloj*, aparecen dos botones cerca de la esquina superior derecha: el botón *Cerrar*, que es el botón superior y el botón *Opciones* (Figura 2.55). Si hace clic en el botón *Cerrar*, se quitará el reloj del escritorio. El botón *Opciones* muestra opciones para cambiar el nombre del reloj, cambiar la zona horaria y mostrar el segundero.

Para agregar un gadget al escritorio o quitarlo, elija *Panel de Control → Apariencia y personalización → Gadgets de escritorio* (figura 2.56). La opción *Agregar gadgets al escritorio* de la Figura 2.56 nos lleva a la pantalla de la Figura 2.57, en la que podemos seleccionar un gadget para agregar (por ejemplo, el calendario). Al hacer doble clic en el calendario, éste se incorpora como nuevo *gadget* en el escritorio.

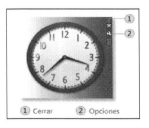

Figura 2.55

Figura 2.56

Figura 2.57

2.2.4 Trabajo con ventanas

Los componentes básicos de una ventana de Windows son: la barra de título, la barra de menús, la barra de desplazamiento y los botones *Minimizar, Maximizar* y *Cerrar* (Figura 2.58). La *barra de título* muestra el nombre del documento y del programa o el nombre de la carpeta si está trabajando en una carpeta. La *barra de menús* contiene elementos en los que puede hacer clic para realizar selecciones en un programa. La *barra de desplazamiento* permite desplazar el contenido de la ventana para ver información que actualmente no es visible. Los botones *Minimizar, Maximizar y Cerrar* ocultan la ventana, la agrandan para llenar toda la pantalla y la cierran, respectivamente.

Para mover una ventana, señale su barra de título con el puntero del ratón ⬚ y, a continuación, arrastre la ventana hasta la ubicación deseada (arrastrar significa señalar un elemento, mantener presionado el botón del ratón, mover el elemento con el puntero y, a continuación, soltar el botón del ratón).

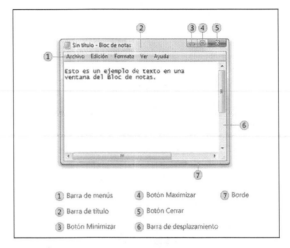

Figura 2.58

2.3 AERO DE WINDOWS Y FLIP 3D

Aero de Windows es una de las características importantes de Windows 7 que ya fue introducida en Vista. Se trata de una presentación visual avanzada del escritorio de Windows que incluye colores vistosos, animaciones de ventana, vistas previas de las barras de tareas de las aplicaciones abiertas y una vista a modo de cristal transparente del escritorio que incluso deja traslucir otros n elementos abiertos. Cuando señala un botón de la barra de tareas, aparece una vista previa activa en miniatura de la ventana, independientemente de si el contenido de la ventana es un documento, una fotografía o incluso un vídeo en ejecución (Figura 2.59).

Figura 2.59

Los requisitos mínimos de hardware para poder ejecutar Aero son: procesador de 32 bits (x86) o 64 bits (x64) a 1 gigahercio (GHz), un gigabyte (GB) de memoria de acceso aleatorio (RAM) y una tarjeta gráfica de 128 megabytes (MB). Aero también requiere un procesador de gráficos de clase DirectX 9 que admite un controlador de Windows Display Driver Model Driver, Pixel Shader 2.0 en hardware y 32 bits por píxel. También es necesario asegurarse de que el color esté establecido en 32 bits, la frecuencia de actualización del monitor sea superior a 10 hercios, el tema esté configurado en Windows 7, la combinación de colores sea Aero de Windows y que la transparencia del marco de ventanas esté activada.

La presencia de Aero habilita el uso de *Windows Flip 3D*, que dispone las ventanas en una pila tridimensional para permitirle hojearlas rápidamente (Figura 2.60). Para ello, manteniendo presionada la tecla del logotipo de Windows presione *TAB*.

Mientras mantiene presionada la tecla del logotipo de Windows, presione *TAB* repetidamente o gire la rueda del ratón, para desplazarse por las ventanas abiertas. También puede presionar *Flecha derecha* o *Flecha abajo* para desplazarse hacia adelante de ventana en ventana, o presionar *Flecha izquierda* o *Flecha arriba* para desplazarse hacia atrás de ventana en ventana.

Figura 2.60

2.4 PERSONALIZAR EL ESCRITORIO

2.4.1 Personalizar la barra de tareas, el menú Inicio y la barra de herramientas

Para *personalizar la barra de tareas, el menú Inicio y la barra de herramientas* basta con hacer clic con el botón derecho del ratón en cualquier zona de la barra de tareas y hacer clic en *Personalizar* en el menú emergente resultante (Figura 2.61). Se obtiene la pantalla *Propiedades de la barra de tareas y del menú Inicio* de la Figura 2.62 cuya pestaña *Barra de tareas* ofrece opciones de personalización de su apariencia, ubicación, área de notificaciones y Aero Peek. El botón *Personalizar* del área de notificación de la Figura 2.62 nos lleva a la figura 2.63 en la que podemos elegir los elementos que aparecerán en el área de notificaciones de la barra de tareas.

La pestaña *Menú Inicio* de la pantalla *Propiedades de la barra de tareas y del menú Inicio* (Figura 2.64) permite personalizar el aspecto y el comportamiento de los vínculos, iconos y menús del menú Inicio. El botón *Personalizar* de esta pestaña nos lleva a la pantalla *Personalizar el menú Inicio* (Figura 2.65) cuyas opciones permiten la citada personalización.

La pestaña *Barra de herramientas* de la pantalla *Propiedades de la barra de tareas y del menú Inicio* (Figura 2.66) permite seleccionar las barras de herramientas que se deseen agregar a la barra de tareas.

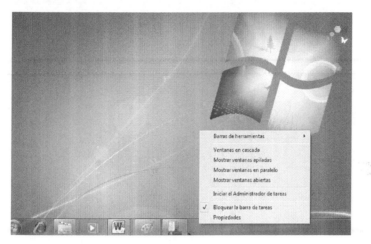

Figura 2.61

Figura 2.62

Figura 2.63

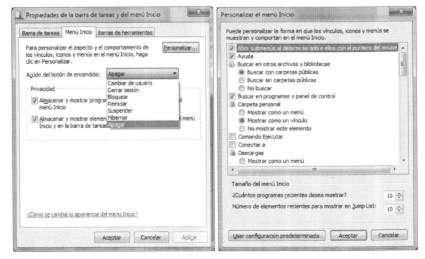

Figura 2.64   *Figura 2.65*

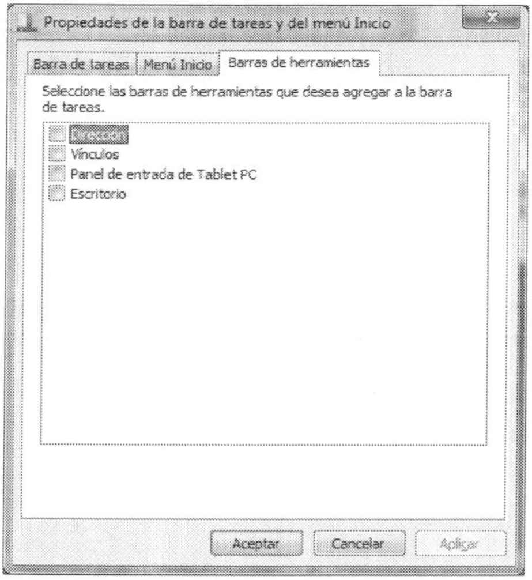

Figura 2.66

2.4.2 Personalizar los *gadgets* del escritorio

Para *personalizar un gadget* basta con hacer clic sobre él en el escritorio con el botón derecho del ratón y utilizar las opciones del menú emergente resultante (Figura 2.67). Vemos que es posible personalizar el tamaño, la situación en el escritorio, la visibilidad y la opacidad de los *gadgets*.

Figura 2.67

2.4.3 Personalizar tema, sonidos, protector de pantalla, color de ventana y fondo del escritorio

Para personalizar el tema, sonidos, protector de pantalla, color de ventana y fondo del escritorio basta con hacer clic con el botón derecho del ratón sobre cualquier zona vacía del escritorio y hacer clic en la opción *Personalizar* del menú emergente resultante (Figura 2.68). Alternativamente, se puede utilizar *Inicio → Panel de Control → Apariencia y personalización → Personalización → Cambiar los efectos visuales y los sonidos del equipo*. Se obtiene la Figura 2.69 en cuya zona *Mis temas* puede elegirse el tema para el escritorio. También pueden obtenerse más temas de Internet haciendo clic en el botón *Obtener más temas en línea*.

La opción *Fondo del escritorio* permite elegir una fondo para el escritorio de entre los que se observan en la Figura 2.70. La opción *Color de ventana* permite personalizar el color de los bordes de las ventanas, del menú Inicio y de la barra de tareas, así como habilitar transparencias de marco de ventanas y el mezclador de colores (Figura 2.71). La opción *Sonidos* permite elegir una combinación de sonidos asociados a eventos de Windows y otros programas (Figura 2.72). La opción *Protector de pantalla* permite elegir el protector de pantalla (Figura 2.73) y asociarle sus propiedades a través del botón *Configuración* (Figura 2.74).

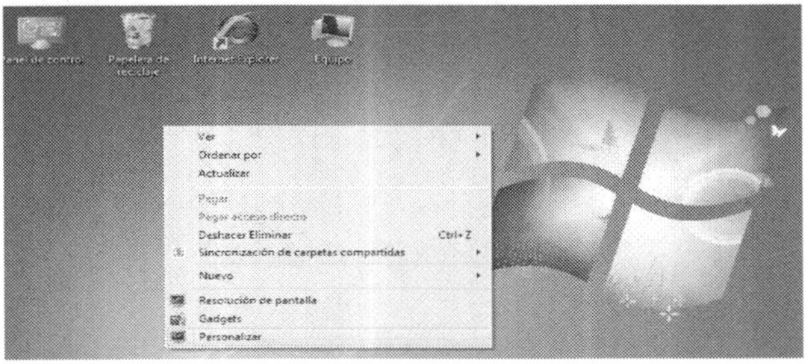

Figura 2.68

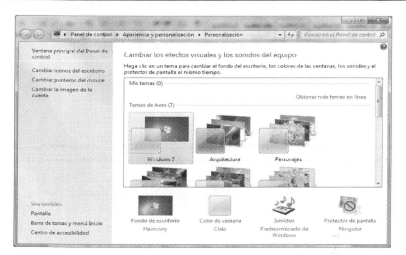

Figura 2.69

Figura 2.70

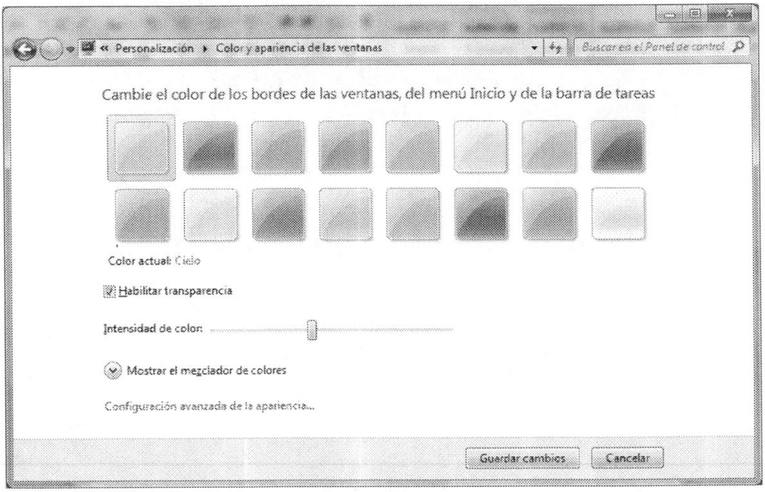

Figura 2.71

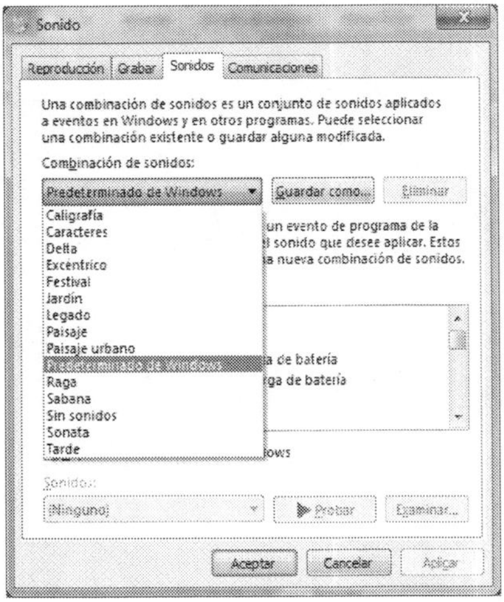

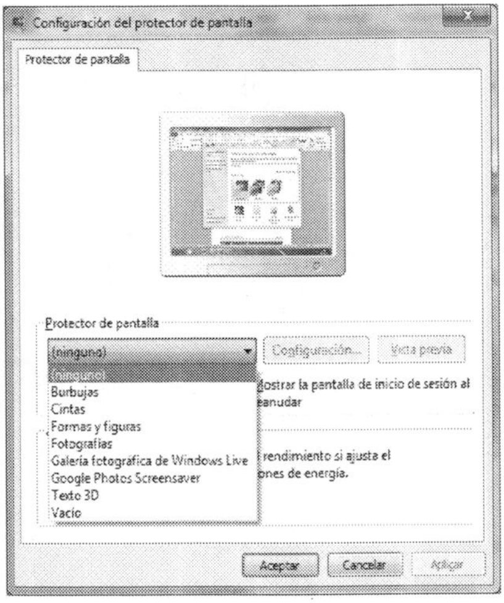

Figura 2.72 *Figura 2.73*

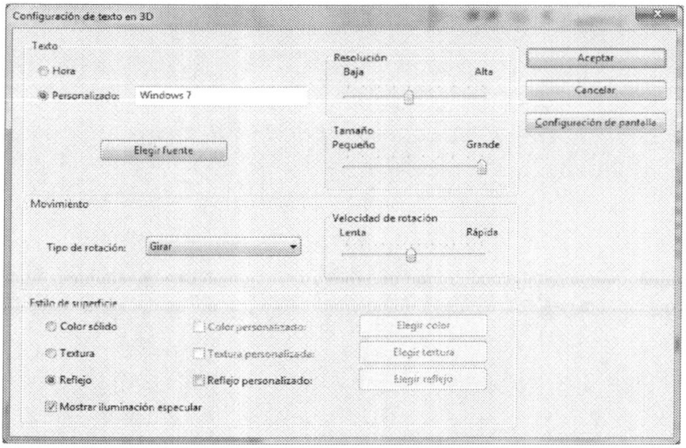

Figura 2.74

2.4.4 Personalizar la pantalla y los elementos que intervienen en Aero de Windows

Ya sabemos que *para que Windows Aero funcione correctamente* es necesario asegurarse de que el color esté establecido en 32 bits, la frecuencia de actualización del monitor sea superior a 10 hercios, el tema esté configurado en *Windows Vista*, la combinación de colores sea *Aero de Windows* y la transparencia del marco de ventanas esté activada.

Para *establecer el color en 32 bits*:

1. Se elige *Todos los programas* → *Panel de control* → *Ajustar resolución de pantalla* → *Configuración avanzada* → *monitor*. Se obtiene la Figura 2.75.

2. En *Colores*, elija *Color verdadero (32 bits)* y, a continuación, haga clic en *Aceptar*. Si no puede seleccionar 32 bits, compruebe que la resolución es lo más alta posible y, a continuación, vuelva a intentarlo.

Para *establecer la frecuencia de actualización del monitor*:

1. Se elige *Todos los programas* → *Panel de control*→ *Ajustar resolución de pantalla* → *Configuración avanzada* → *Monitor*. Se obtiene la Figura 2.75.

2. Haga clic en la ficha *Monitor* y, a continuación en una frecuencia de actualización que sea mayor de 10 hercios en la Figura 2.75.

3. Haga clic en *Aplicar*. El monitor tardará unos instantes en ajustarse. Si aparece un mensaje preguntándole si desea conservar los cambios, haga clic en *Sí*. Si aparece el mensaje y no aplica los cambios antes de quince segundos, se restablecerá la frecuencia de actualización original.

4. Haga clic en *Aceptar*.

Los cambios realizados en la frecuencia de actualización afectan a todos los usuarios que inicien sesión en el equipo.

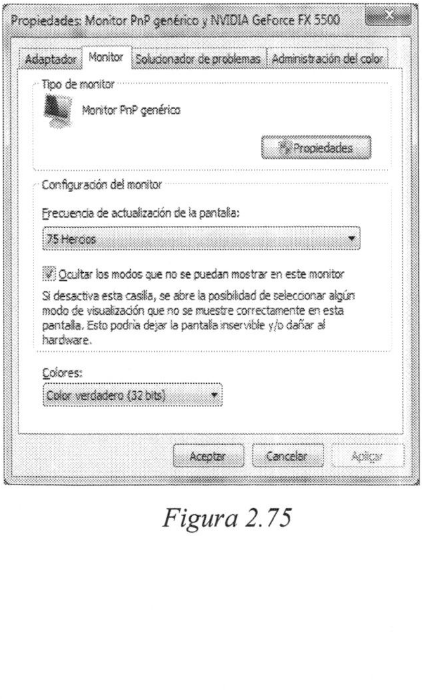

Figura 2.75 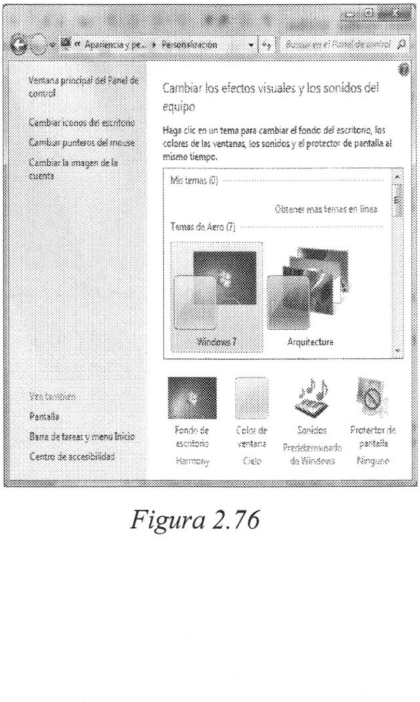   Figura 2.76

Para cambiar el tema del escritorio a Windows Vista:

1. Se elige *Todos los programas* → *Panel de control* → *Apariencia y personalización* → *Personalización* → *Cambiar el tema*. Se obtiene la Figura 2.76.

2. En la lista *Mis temas*, haga clic en *Windows 7* y, a continuación, haga clic en *Aceptar*.

Para actualizar la transparencia de marco de ventanas.

1. Se elige *Todos los programas* → *Panel de control* → *Apariencia y personalización* → *Personalización* → *Color y apariencia de las ventanas*. Se obtiene la Figura 2.77.

2. Active la casilla *Habilitar transparencia*.

Para activar la transparencia del marco de ventanas, primero se debe establecer la combinación de colores en *Aero de Windows*.

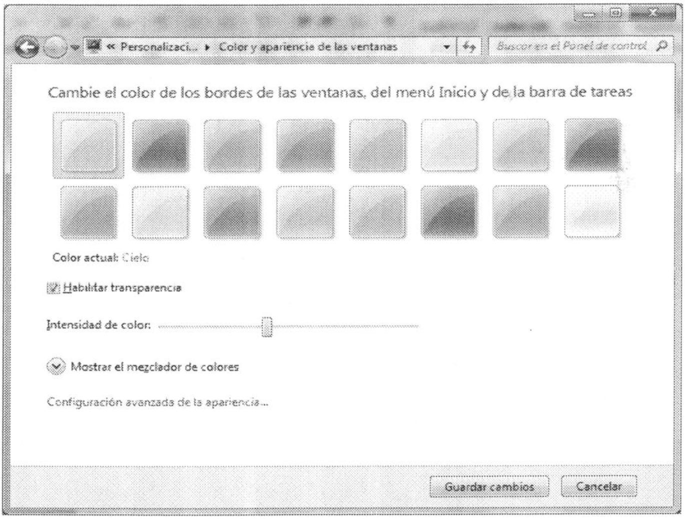

Figura 2.77

Para *establecer la resolución de la pantalla*:

1. Se elige *Todos los programas* → *Panel de control* → *Ajustar resolución de pantalla*. Se obtiene la Figura 2.78.

2. En *Resolución*, elija la resolución adecuada para su equipo y haga clic en *Aplicar* y luego en *Aceptar*.

Figura 2.78

2.5 EXPLORADOR DE WINDOWS 7

El Explorador de Windows 7, que muestra el contenido del PC en forma ordenada, se ha reestructurado en esta versión presentando su contenido estructurado en bibliotecas que permiten fácilmente buscar y organizar archivos esparcidos en el equipo o la red y trabajar con ellos. Una biblioteca reúne elementos en un solo lugar, independientemente de dónde estén almacenados.

Para abrir el Explorador de Windows 7 basta hacer clic con el botón derecho del ratón sobre el botón Inicio y elegir Explorador de Windows en el menú emergente resultante (Figura 2.79). También se puede hacer clic en el icono del explorador de Windows 🖼 en la barra de tareas. Se obtiene la Figura 2.80 que muestra como Windows 7 incluye bibliotecas de documentos, música, imágenes y vídeos.

Es posible personalizar estas bibliotecas o crear nuevas con solo algunos clics. También puede organizar las bibliotecas y ordenarlas de forma aleatoria, por ejemplo, puede ordenar los documentos por tipo, las fotos por fecha de captura o la música por género. Además, puede compartir fácilmente las bibliotecas con las personas en una red doméstica (Grupo Hogar).

Figura 2.79

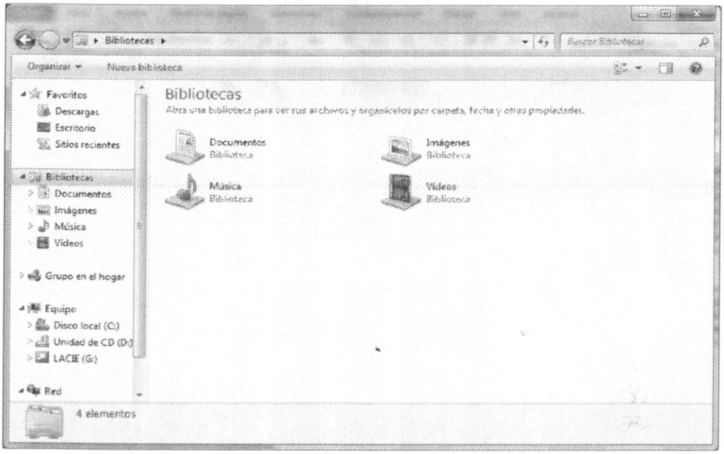

Figura 2.80

Puede usar el panel de navegación (panel izquierdo de la Figura 2.80) para buscar archivos y carpetas. Además, puede mover o copiar elementos directamente en un destino en el panel de navegación. Si no puede ver el panel de navegación a la izquierda de una ventana abierta, haga clic en *Organizar*, luego en *Diseño* y, a continuación, haga clic en *Panel de navegación* (Figura 2.81) para mostrarlo.

No sólo se pueden buscar archivos con las bibliotecas. Además, se pueden examinar las carpetas y las unidades del modo habitual si se expande *Equipo* en el panel de navegación (Figura 2.82).

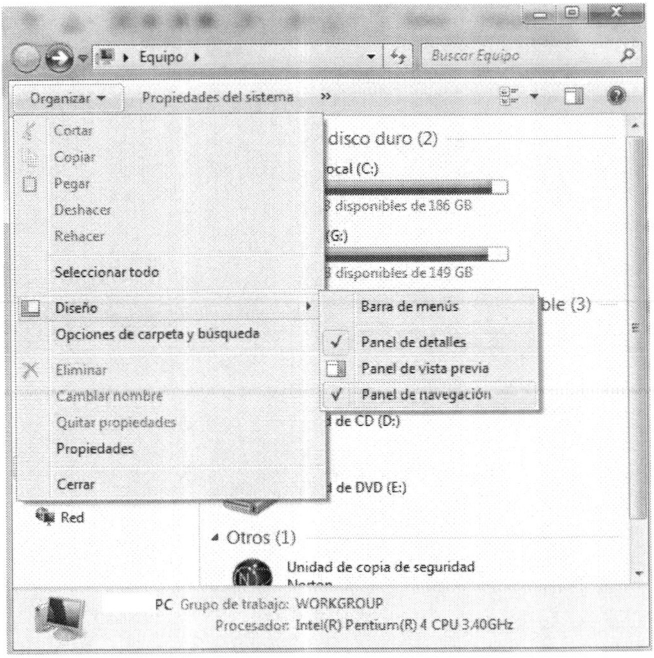

Figura 2.81

Figura 2.82

Estas son algunas de las *acciones que puede realizar mientras examina archivos*:

- Para mover o copiar elementos desde la lista de archivos al panel de navegación, arrastre los elementos a la carpeta que desee en el panel de navegación. Si un elemento se encuentra en el mismo disco duro que la carpeta, éste se moverá. Si está en otro disco duro, se copiará.

- Para ver los distintos discos duros u otros dispositivos de almacenamiento conectados al equipo, haga clic en *Equipo*.

- Para crear una carpeta nueva, haga clic con el botón secundario en la carpeta en la que desee incluirla, apunte a *Nuevo* y, a continuación, haga clic en *Carpeta*.

- Para ver las búsquedas guardadas, haga doble clic en *Equipo*, en el disco duro principal, en *Usuarios*, en su nombre de usuario y, a continuación, en *Búsquedas*.

Las bibliotecas permiten obtener acceso a las carpetas desde varias ubicaciones, como el equipo o una unidad de disco duro externa. El panel de navegación es la manera más sencilla de tener acceso a las bibliotecas. Cuando hace clic en una biblioteca para abrirla, el contenido de todas las carpetas incluidas en esa biblioteca aparece en la lista de archivos.

A continuación se muestran otras *acciones que se pueden realizar con las bibliotecas mediante el panel de navegación*:

- Para crear una biblioteca nueva, haga clic con el botón secundario en *Bibliotecas*, luego en *Nuevo* y, a continuación, haga clic en *Biblioteca*.

- Para mover o copiar archivos desde la lista de archivos en una ubicación de almacenamiento predeterminada de la biblioteca, arrastre los archivos a la biblioteca en el panel de navegación. Si los archivos están en el mismo disco duro que la ubicación de almacenamiento predeterminada de la biblioteca, estos se moverán. Si están en una unidad de disco duro distinta, se copiarán.

- Para cambiar el nombre de una biblioteca, haga clic con el botón secundario en él, haga clic en *Cambiar nombre*, escriba un nuevo nombre y, a continuación, presione *Entrar*.

- Para ver las carpetas incluidas en una biblioteca, haga doble clic en el nombre de la biblioteca para expandirla. Las carpetas aparecerán debajo de la biblioteca.

- Para quitar una carpeta de una biblioteca, haga clic con el botón secundario en la carpeta que desea quitar y, a continuación, haga clic en *Quitar ubicación de la biblioteca*. Esto sólo quita la carpeta de la biblioteca, pero no elimina la carpeta de su ubicación original.

- Para ocultar una biblioteca, haga clic con el botón secundario en la biblioteca y, a continuación, haga clic en *No mostrar en el panel de navegación*. Ésta es una buena solución si se está quedando sin espacio en el panel de navegación, pero no desea eliminar la biblioteca.

- Para mostrar una biblioteca oculta, haga clic en *Bibliotecas*, haga clic con el botón secundario en la lista de archivos y, a continuación, haga clic en *Mostrar en el panel de navegación*.

Para *agregar una carpeta, una búsqueda guardada, una biblioteca o incluso una unidad como un favorito*, arrastre el elemento a la sección *Favoritos* en el panel de navegación (figura 2.83).

Figura 2.83

Para *personalizar los favoritos* se pueden realizar las tareas siguientes:

- Para cambiar el orden de los favoritos, arrastre un favorito a una nueva posición en la lista.

- Para restaurar los favoritos predeterminados en el panel de navegación, haga clic con el botón secundario en *Favoritos* y, a continuación, haga clic en *Restaurar vínculos favoritos*.

- Para ver la carpeta en la que están guardados sus favoritos, haga clic en Favoritos en el panel de navegación. Los favoritos se guardan como métodos abreviados.

- Para quitar un favorito, haga clic con el botón secundario en el favorito y, a continuación, haga clic en *Quitar*. De este modo, se quita el favorito del panel de navegación, pero no se eliminan los archivos o las carpetas a los que apunta el método abreviado.

- Puede agregar sitios web a los favoritos de Windows al arrastrar el icono de la barra de direcciones del explorador web directamente a la sección *Favoritos* en el panel de navegación de Windows.

Para cambiar la configuración del panel de navegación se tendrá en cuenta lo siguiente:

1. En una ventana abierta, haga clic en *Organizar* y, a continuación, seleccione *Opciones de carpeta y búsqueda*.

2. En el cuadro de diálogo *Opciones de carpeta*, haga clic en la ficha *General* y, a continuación, realice una de estas acciones o ambas:

   • Para mostrar todas las carpetas del equipo en el panel de navegación, incluida su carpeta personal, active la casilla *Mostrar todas las carpetas* y, haga clic en *Aceptar*.

   • Para expandir el panel de navegación automáticamente hasta la carpeta seleccionada en la ventana de la carpeta, active la casilla *Expandir automáticamente a la carpeta actual* y, a continuación, haga clic en *Aceptar*.

   • Puede expandir el panel de navegación rápidamente a la ubicación actual en la que navega mediante las teclas *Ctrl + Shift + E*.

El *Explorador de Windows* también puede obtenerse mediante *Inicio → Todos los programas → Accesorios → Explorador de Windows* (Figura 2.84). La carpeta *Escritorio* de *Favoritos* muestra los elementos del Escritorio y permite administrarlos (Figura 2.85).

El icono *Vistas* ⊞ ▼ de la barra de menú del explorador permite cambiar la forma en que se mostrarán los iconos en el panel de la derecha (Figura 2.86). Pueden mostrarse como *Iconos muy grandes* (Figura 2.87), *grandes* (Figura 2.88), *medianos o pequeños* (Figura 2.86), como una *Lista* (Figura 2.89), con *Detalles* (opción por defecto con nombre, tamaño, tipo y fecha de la última modificación según se indica en la Figura 2.90) y como *Mosaicos* (Figura 2.91). Las opciones del icono *Organizar* permiten organizar el contenido de la carpeta seleccionada, crear nuevas carpetas y otras tareas definidas por el propio nombre de las opciones del icono (Figura 2.92).

Figura 2.84

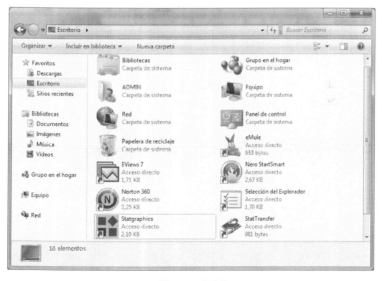

Figura 2.85

Figura 2.86

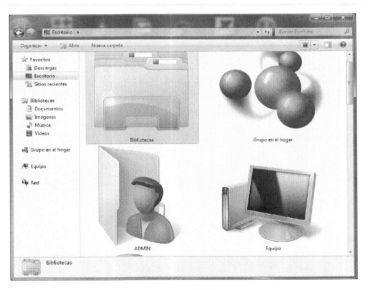

Figura 2.87

Figura 2.88

Figura 2.89

Fgura 2.90

Figura 2.91

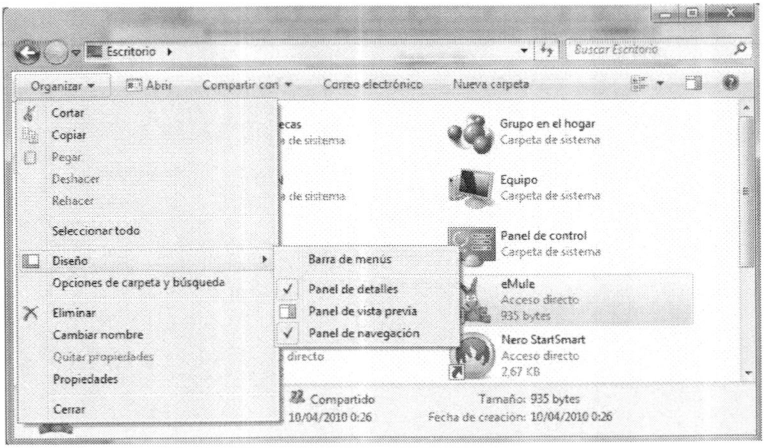

Figura 2.92

Al seleccionar un elemento, aparecen sus propiedades en la parte inferior de la venta del explorador y el menú de la parte superior (barra de menú) muestra distintas opciones dependiendo del objeto seleccionado (*Abrir, Correo electrónico, Compartir,* etc.) según el elemento que esté seleccionado (ver las Figuras 2.91 y 2.93).

El icono *Adelante* ⊙ permite avanzar un lugar hacia arriba en el árbol de unidades y carpetas. El icono *Atrás* ⊙ permite avanzar un lugar hacia atrás en el árbol de unidades y carpetas o ir a *Equipo*. La *barra de herramientas del Explorador* Archivo Edición Ver Herramientas Ayuda aparece al pulsar la tecla ALT (Figura 2.93) y permitirá gobernar el trabajo con los archivos y carpetas que se exploran. La parte inferior de la ventana del *Explorador* describe el elemento seleccionado en el mismo.

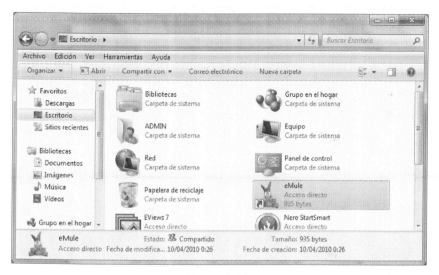

Figura 2.93

2.6 PANEL DE CONTROL DE WINDOWS 7

El Panel de control es una herramienta fundamental que utiliza para cambiar la configuración de Windows y personalizar la mayoría de los elementos del sistema. Esta configuración controla casi todas las cuestiones de aspecto y funcionamiento de Windows, y permite la adaptación del sistema a nuestras preferencias. Se accede al panel de control mediante *Inicio* → *Todos los programas* → *Panel de control* (Figura 2.94).

Existen dos formas de encontrar elementos en el Panel de control:

- *Uso de Buscar.* Para encontrar una configuración que interese o una tarea que se desea realizar se introduce una palabra o una frase que identifique la tarea en el cuadro de búsqueda. Por ejemplo, se escribe "sonido" para buscar configuraciones específicas de la tarjeta de sonido, los sonidos del sistema y el icono de volumen de la barra de tareas (Figura 2.95).

- *Uso de Examinar.* Para explorar el Panel de control, haga clic en las distintas categorías (por ejemplo, *Sistema y seguridad, Programas o Accesibilidad,* etc.) y vea las tareas comunes incluidas en cada categoría (Figura 2.96). Además, en *Ver por,* puede hacer clic en *Iconos grandes* o *Iconos pequeños* para ver una lista de todos los elementos del Panel de control (Figura 2.97).

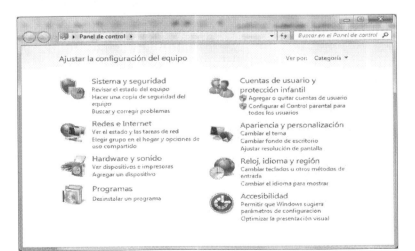

Figura 2.94

Figura 2.95

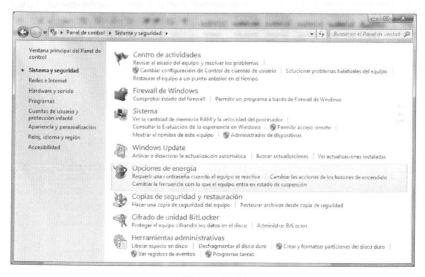

Figura 2.96

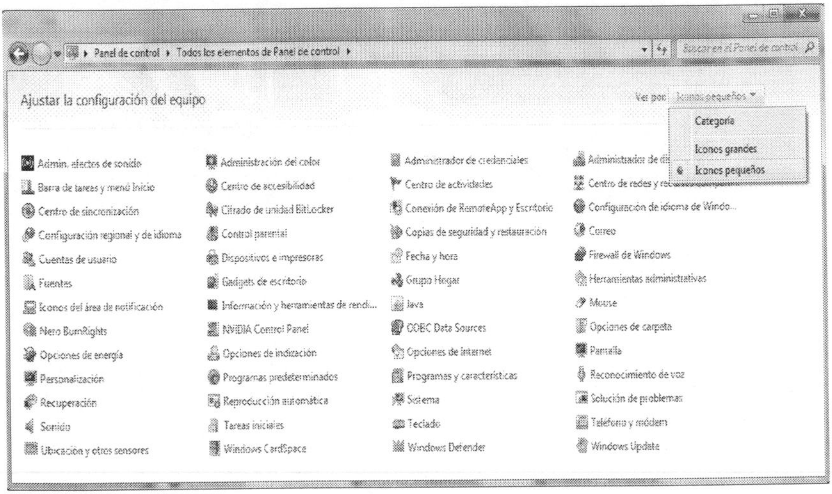

Figura 2.97

Si se examina el Panel de control por iconos, puede encontrarse rápidamente un elemento de la lista si se escribe la primera letra del nombre del elemento. Por ejemplo, para encontrar el teclado, escriba T, y se seleccionará en la ventana el primer elemento del Panel de control que empiece con la letra T (en este caso, el teclado). También puede usar las teclas de dirección (*Flecha arriba, Flecha abajo, Flecha izquierda* y *Flecha derecha*) para desplazarse por la lista de iconos del Panel de control.

Capítulo 3

ADMINISTRAR CUENTAS DE USUARIO. CONTROL PARENTAL

3.1 CUENTAS DE USUARIO

Una cuenta de usuario es una colección de información que indica a Windows los archivos y carpetas a los que puede obtener acceso, los cambios que puede realizar en el equipo y las preferencias personales, como el fondo de escritorio o tema de color preferidos. Las cuentas de usuario permiten que se comparta el mismo equipo entre varias personas, cada una de las cuales tiene sus propios archivos y configuraciones. Cada persona obtiene acceso a su propia cuenta de usuario con un nombre de usuario y contraseña.

Existen tres tipos distintos de cuentas: Estándar, Administrador e Invitado. Cada tipo de cuenta proporciona al usuario un nivel diferente de control sobre el equipo. La cuenta estándar es la que se utiliza para las tareas de trabajo usuales. La cuenta de administrador proporciona el máximo control sobre un equipo y sólo se debe utilizar cuando sea necesario. La cuenta de invitado se destina principalmente a personas que necesitan obtener acceso temporalmente a un equipo.

Cuando configura Windows, se le pide que cree una cuenta de usuario. Esta cuenta es una cuenta de administrador que le permite configurar el equipo e instalar cualquier programa que desee usar. Cuando haya terminado de configurar el equipo, se recomienda que use una cuenta de usuario estándar para el trabajo diario. La pantalla de bienvenida, donde se inicia sesión en Windows, muestra las cuentas que existen en el equipo e identifica el tipo de cuenta para saber si está usando una cuenta de administrador o estándar. Es posible utilizar una cuenta sin contraseña. Sin embargo, se recomienda el uso de una contraseña segura. El uso de una contraseña es una de las medidas más importantes que se pueden tomar para mantener el equipo protegido.

Una *cuenta de invitado* es una cuenta para los usuarios que no tienen una cuenta permanente en el equipo o dominio y que debe ser activada antes de utilizarse por primera vez. Permite que las personas usen el equipo sin tener acceso a los archivos personales. Quienes usen la cuenta de invitado no tienen permiso para instalar software ni hardware y tampoco tienen permiso para realizar tareas de configuración ni asignación de contraseñas.

Una *cuenta de usuario estándar* permite que una persona use la mayoría de las funciones del equipo y los programas instalados, pero tampoco es posible instalar software ni hardware, ni realizar cambios en la configuración que afecten a otros usuarios, ni realizar tareas estrictamente administrativas sin el permiso de un administrador. Si usa una cuenta estándar, es posible que algunos programas le soliciten que proporcione una contraseña de administrador antes de poder ejecutar determinadas tareas.

Una *cuenta de administrador* es una cuenta de usuario que le permite realizar cambios que afectan a otros usuarios. Los administradores pueden cambiar la configuración de seguridad, instalar software y hardware, y obtener acceso a todos los archivos en un equipo. Es más seguro usar una cuenta de usuario estándar que usar una cuenta de administrador siempre y cuando no se vayan a realizar tareas de configuración o administrativas.

3.2 CREAR CUENTAS DE USUARIO

A continuación veremos la forma de crear cuentas de usuario administrador y estándar y cómo se activa la cuenta de invitado.

Para *crear una cuenta de usuario administrador* se tendrá en cuenta lo siguiente:

1. Se elige *Inicio → Panel de control → Cuentas de usuario y protección infantil → Agregar o quitar cuentas de usuario* (Figura 3.1).

2. Si se le solicita una contraseña de administrador o una confirmación, escriba la contraseña o proporcione la confirmación.

3. En la Figura 3.2, que presenta las cuentas ya existentes (la creada al instalar y la de invitado sin activar que existe por defecto), haga clic en *Crear una nueva cuenta*.

4. En la Figura 3.3 escriba el nombre que desee darle a la cuenta de usuario, haga clic en el tipo de cuenta (en nuestro caso creamos una cuenta de administrador) y haga clic en *Crear cuenta*. Se obtiene la Figura 3.4 que presenta ya la cuenta de administrador.

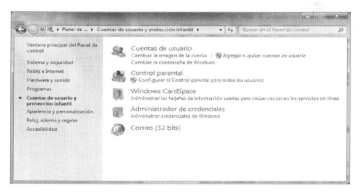

Figura 3.1

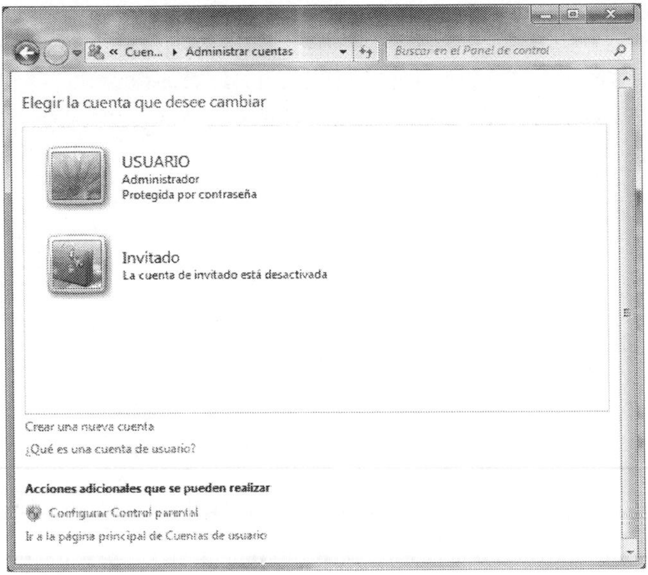

Figura 3.2

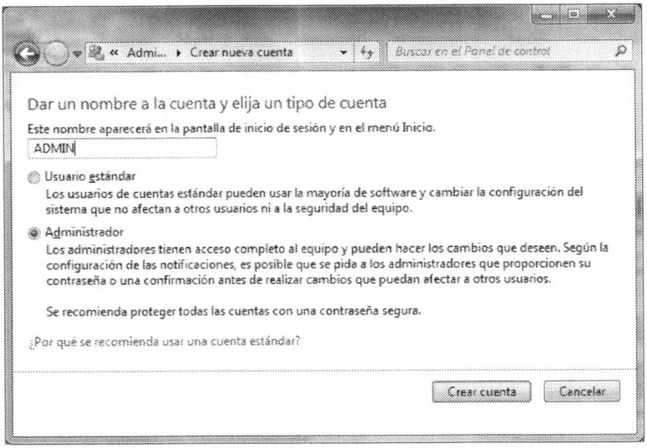

Figura 3.3

Figura 3.4

Para *crear una cuenta de usuario estándar* se siguen los pasos citados anteriormente, pero en la Figura 3.3 se elige usuario estándar y se le da su nombre (Figura 3.5). Al pulsar en *Crear cuenta* se tiene la nueva cuenta (Figura 3.6).

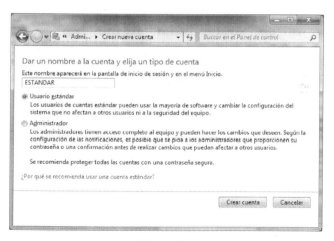

Figura 3.5

Figura 3.6

Si necesita que alguien inicie sesión en el equipo con prerrogativas mínimas y no desea que esa persona obtenga acceso a todos los archivos, puede crear una cuenta de invitado. Debido a que la cuenta de invitado permite que un usuario inicie sesión en una red, explorar Internet y apagar el equipo, se recomienda deshabilitarla si no se usa.

Para *activar o desactivar la cuenta de invitado* se tendrá en cuenta lo siguiente:

1. Se elige *Inicio → Panel de control → Cuentas de usuario y protección infantil → Agregar o quitar cuentas de usuario* (Figura 3.1).

2. Si se le solicita una contraseña de administrador o una confirmación, escriba la contraseña o proporcione la confirmación.

3. En la Figura 3.6, que presenta las cuentas ya existentes haga clic sobre la cuenta *Invitado*.

4. Se obtiene la Figura 3.7, cuyo botón *Activar* activa la cuenta de invitado. Las cuentas de usuario actuales se presentan en la Figura 3.8.

Figura 3.7

Figura 3.8

Para *desactivar la cuenta de invitado* se siguen los mismos pasos que para la activación, pero al hacer clic sobre la cuenta Invitado se obtiene la pantalla de la Figura 3.9 cuyo botón *Desactivar la cuenta de invitado*, permite la desactivación.

Figura 3.9

3.3 CAMBIAR LAS CUENTAS DE USUARIO. ADMINISTRACIÓN DE CUENTAS

Para cambiar las características de una cuenta de usuario se tendrá en cuenta lo siguiente:

1. Se elige *Inicio → Panel de control → Cuentas de usuario y protección infantil → Cuentas de usuario* (Figura 3.10).

2. Se hace clic sobre *Cuentas de usuario* y se obtiene la pantalla 3.11, cuyas opciones permiten realizar cambios en las cuentas de usuario. Por defecto está seleccionada la cuenta con la que se ha iniciado sesión.

3. Se observa que es posible cambiar la contraseña (Figura 3.12), quitar la contraseña (Figura 3.13), cambiar la imagen (Figura 3.14), cambiar el nombre de la cuenta (Figura 3.15) y cambiar el tipo de la cuenta (Figura 3.16).

4. Si queremos administrar otra cuenta diferente de la cuenta con la que hemos iniciado sesión se hace clic en *Administrar otra cuenta* en la Figura 3.11 y se elige la cuenta a cambiar (ADMIN) haciendo clic sobre ella en la Figura 3.17.

5. En la Figura 3.18 se selecciona el cambio a realizar en la cuenta. Al tratarse de una cuenta de administrador que todavía no tiene contraseña. es posible cambiar el nombre de la cuenta, crear una contraseña (Figura 3.19), cambiar la imagen, configurar el *Control parental*, cambiar el tipo de cuenta, eliminar la cuenta o pasar a administrar otra cuenta.

Figura 3.10

Figura 3.11

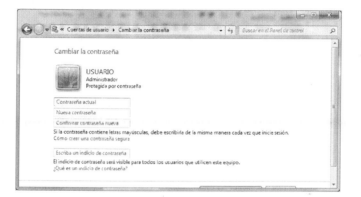

Figura 3.12

Figura 3.13

Figura 3.14

Figura 3.15

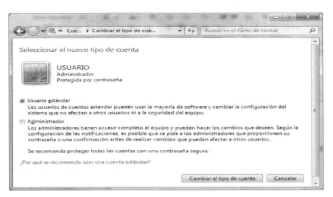

Figura 3.16

Figura 3.17

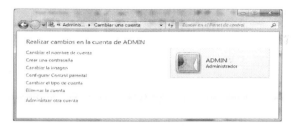

Figura 3.18

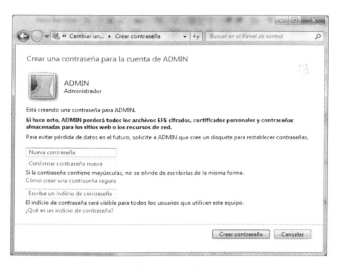

Figura 3.19

Cuando se elimina una cuenta de usuario es posible eliminar los archivos y carpetas de la cuenta (botón *Eliminar archivos* de la Figura 3.20) o conservarlos en el disco duro aunque desaparezca la cuenta (botón *Conservar archivos* de la Figura 3.20). Elegida una de las dos opciones anteriores, aparece la pantalla de confirmación del borrado. Al pulsar en *Eliminar la cuenta*, ésta desaparece del equipo y ya no formará parte del panel de cuentas de usuario.

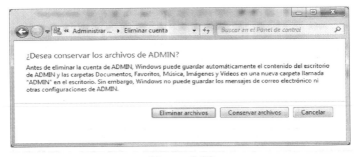

Figura 3.20

3.4 CONTROL PARENTAL

El *Control parental* es una característica de Windows 7 que permite ayudar a administrar la forma en que los niños usan el equipo. Por ejemplo, puede establecer límites para el número de horas que los niños pueden usar el equipo, los tipos de juegos a los que pueden jugar y los programas que pueden ejecutar. Cuando el *Control parental* bloquea el acceso a un juego o un programa, se muestra una notificación que indica que estos se han bloqueado. Los niños pueden hacer clic en la notificación para solicitar permiso de acceso a ese juego o programa. Puede permitir el acceso si especifica la información de cuenta.

Para configurar el *Control parental* para un niño, necesitará una cuenta de usuario de administrador. Antes de comenzar, asegúrese de que cada niño para el que desee configurar el *Control parental* disponga de una cuenta de usuario estándar. El *Control parental* solamente puede aplicarse a una cuenta de usuario estándar. Además de los controles que proporciona Windows, puede instalar otros controles, como filtros web e informes de actividades, de un proveedor de servicios distinto. Para obtener más información, consulte ¿Cómo puedo agregar controles parentales adicionales?

Para *activar el Control parental para una cuenta de usuario estándar* se tendrá en cuenta lo siguiente:

1. Haga clic en *Inicio* → *Panel de control* → *Cuentas de usuario y protección infantil* → *Control parental* (Figura 3.21). Si se le solicita una contraseña de administrador o una confirmación, escriba la contraseña o proporcione la confirmación.

2. En la Figura 3.22, haga clic en la cuenta de usuario estándar para la que desea establecer el control parental. Si la cuenta de usuario estándar no está aún configurada, haga clic en *Crear nueva cuenta de usuario* para configurar una cuenta nueva.

3. En *Control parental* (Figura 3.23), haga clic en *Activado, aplicar configuración actual*.

4. Una vez que haya activado el *Control parental* para la cuenta de usuario estándar de un niño, puede ajustar los siguientes valores individuales que desea controlar:

   o *Límites de tiempo*. Puede establecer límites temporales para controlar el momento en que los niños pueden iniciar una sesión en el equipo. Los límites de tiempo impiden que los niños inicien una sesión durante las horas especificadas. Puede establecer distintas horas de inicio de sesión para cada día de la semana. Si hay una sesión iniciada cuando finalice el tiempo asignado, se cerrará automáticamente.

   o *Juegos*. Puede controlar el acceso a los juegos, elegir una clasificación por edades, elegir los tipos de contenido que desea bloquear y decidir si desea permitir o bloquear juegos específicos o sin clasificar.

o   *Permitir o bloquear programas específicos*. Puede impedir que los niños ejecuten determinados programas.

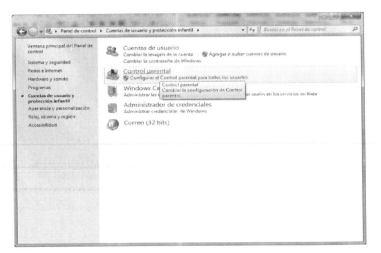

Figura 3.21

Figura 3.22

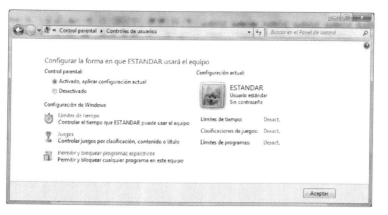

Figura 3.23

HERRAMIENTAS ADMINISTRATIVAS: ADMINISTRACIÓN DE EQUIPOS, ALMACENAMIENTO Y SERVICIOS

4.1 HERRAMIENTAS ADMINISTRATIVAS DE WINDOWS 7

Windows 7 dispone de un número importante de herramientas para la administración a las que se accede mediante *Inicio → Panel de control → Sistema y seguridad → Herramientas administrativas* (Figura 4.1).

Al hacer clic sobre *Herramientas administrativas* en la Figura 4.1 se obtiene la pantalla de la Figura 4.2 que relaciona todas las herramientas administrativas de las que dispone Windows 7.

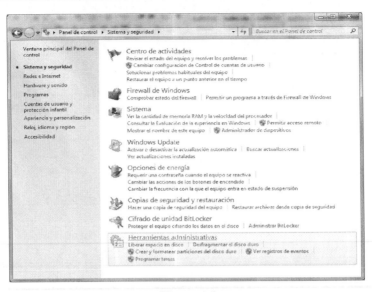

Figura 4.1

Figura 4.2

4.2 ADMINISTRACIÓN DE EQUIPOS

Administración de equipos aporta herramientas para administrar equipos locales o remoto agrupadas en un árbol de consola y de fácil acceso. Para abrir *Administración de equipos*, haga clic en *Administración de equipos* en la Figura 4.2. Se obtiene la Figura 4.3.

Se observa que Administración de equipos contiene tres elementos: *Herramientas del sistema, Almacenamiento* y *Servicios y aplicaciones*.

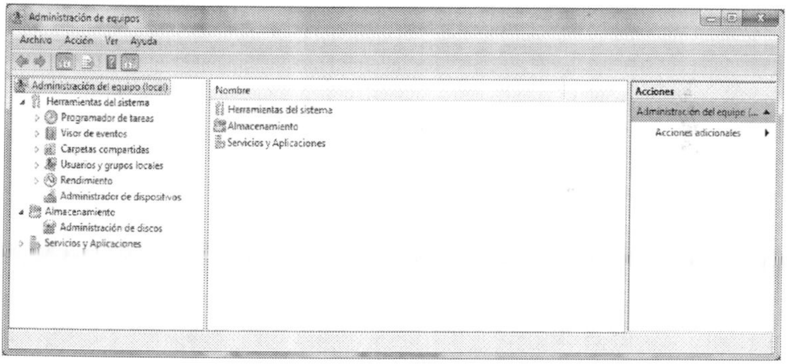

Figura 4.3

Herramientas del sistema es el primer elemento del árbol de consola de Administración de equipos. Puede utilizar *Programador de tareas, Visor de eventos, Carpetas compartidas, Usuarios y grupos locales, Confiabilidad* y *rendimiento y Administrador de dispositivos.*

Almacenamiento es el segundo elemento del árbol de consola de Administración de equipos. Permite la *Administración de discos.*

Servicios y aplicaciones es el tercer elemento del árbol de consola de Administración de equipos. Contiene diversas herramientas predeterminadas que le ayudan a administrar servicios y aplicaciones en el equipo de destino.

4.3 HERRAMIENTAS DEL SISTEMA

Si observamos el árbol de la consola de *Administración de equipos* de la Figura 4.3, vemos las herramientas disponibles. En los párrafos siguientes se describen algunas de ellas.

4.3.1 Visor de eventos

Los registros de eventos son archivos especiales que registran los sucesos importantes que tienen lugar en el equipo, como por ejemplo, cuando un usuario inicia una sesión en el equipo o cuando se produce un error en un programa. Siempre que se producen estos tipos de eventos, Windows los va incluyendo en un registro de eventos que se puede leer mediante el Visor de eventos. Para los usuarios avanzados, la información de los registros de eventos puede ser útil para solucionar problemas con Windows y otros programas.

Para abrir *Visor de eventos* haga clic en *Inicio* → *Todos los programas* → *Herramientas administrativas* → *Visor de eventos*. Se obtiene la Figura 4.4. Pueden verse eventos que se produjeron en el equipo eligiendo el registro correspondiente en el árbol del panel de la izquierda en la Figura 4.4.

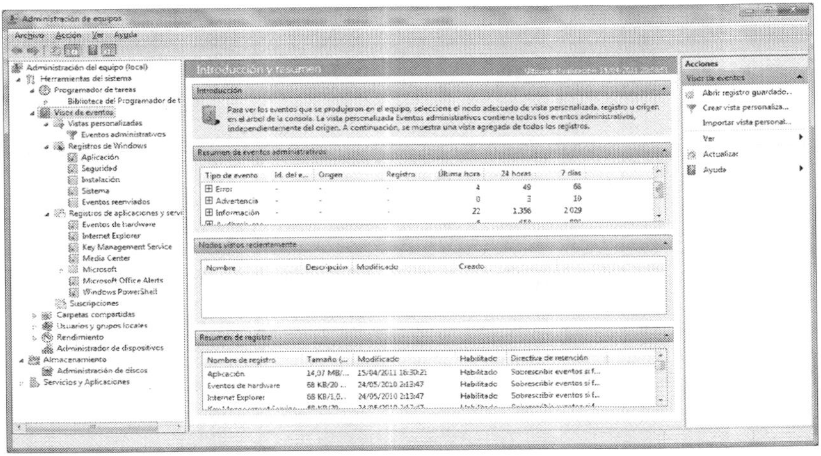

Figura 4.4

El visor de eventos permite realizar las siguientes tareas:

- Ver eventos desde varios registros de eventos.

- Guardar filtros de eventos útiles como vistas personalizadas que se pueden volver a usar.

- Programar una tarea para que se ejecute como respuesta a un evento.

- Crear y administrar suscripciones a eventos.

Al visor de eventos también se puede acceder desde el menú de herramientas administrativas mediante *Inicio → Panel de control → Sistema y Mantenimiento → Herramientas administrativas → Visor de eventos* (Figura 4.5). Se obtiene la Figura 4.6.

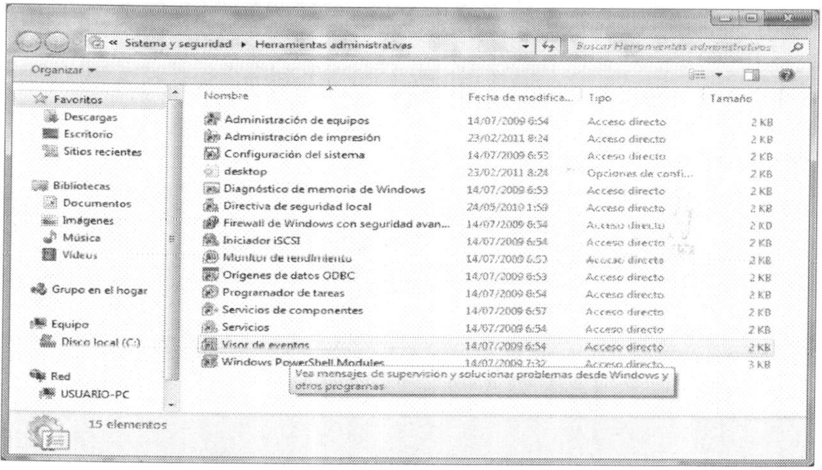

Figura 4.5

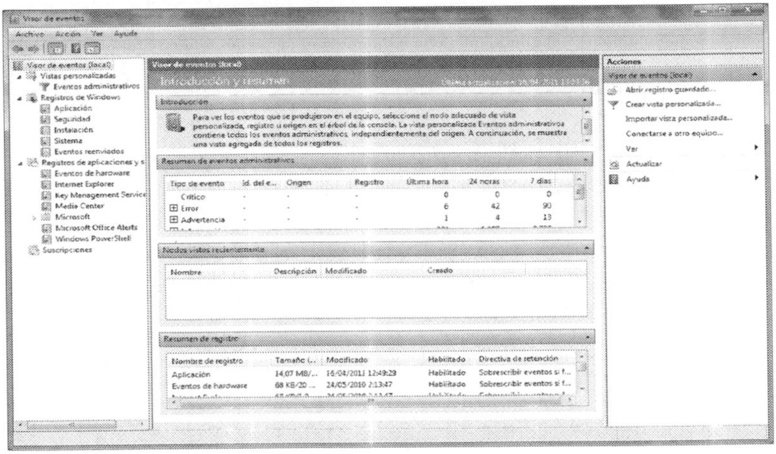

Figura 4.6

Para ver los eventos que se produjeron en el equipo, seleccione el nodo adecuado de vista personalizada, registro u origen en el árbol de la consola. En la Figura 4.7 se muestra el evento *Audotoría de seguridad*. La vista personalizada *Eventos administrativos* (Figura 4.8) contiene todos los eventos administrativos, independientemente del origen. La Figura 4.6 muestra una vista agregada de todos los registros.

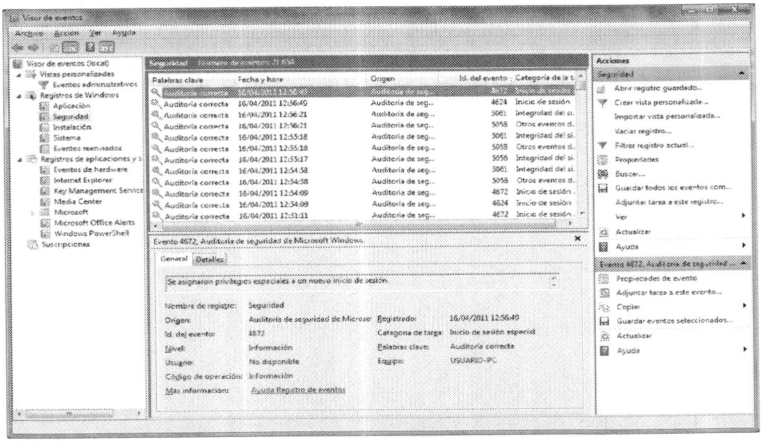

Figura 4.7

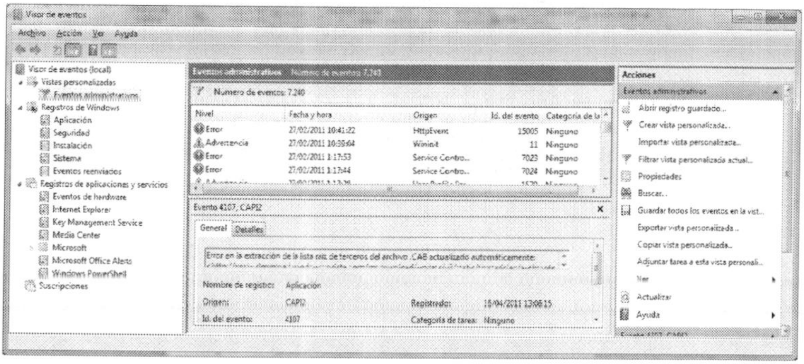

Figura 4.8

4.3.2 Carpetas compartidas

Se utiliza *Carpetas compartidas* para administrar de forma centralizada recursos compartidos de archivos en un equipo. Carpetas compartidas le permite crear recursos compartidos de archivos y establecer permisos, así como ver y administrar archivos abiertos y usuarios conectados a recursos compartidos de archivos en el equipo.

Para *compartir una carpeta o una unidad* se tendrá en cuenta lo siguiente:

1. Haga clic en *Inicio* → *Panel de control* → *Sistema y Mantenimiento* → *Herramientas administrativas*, y, a continuación, haga clic en *Administración de equipos*.

2. En el árbol de la consola, haga clic en *Herramientas del sistema*, haga clic en *Carpetas compartidas* y, a continuación, haga clic en *Recursos compartidos*. Se obtiene la Figura 4.9.

3. En el menú *Acción*, haga clic en *Nuevo recurso compartido* (Figura 4.10).

4. Siga los pasos del *Asistente para crear una carpeta compartida* (Figuras 4-11 a 4-15) y, después, haga clic en *Finalizar*.

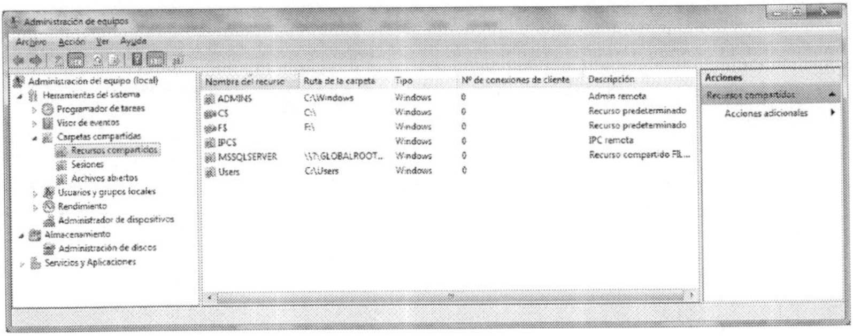

Figura 4.9

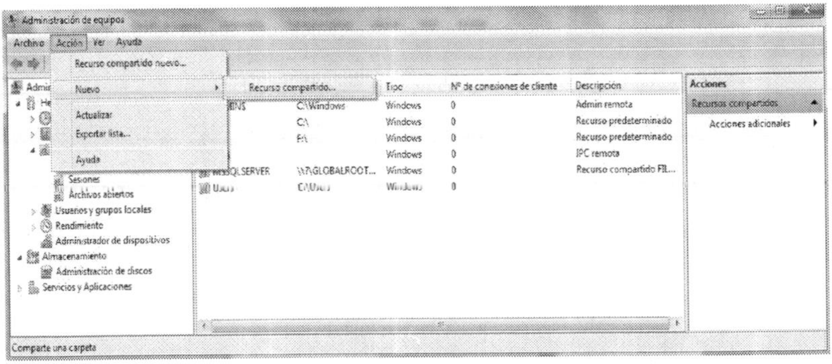

Figura 4.10

Figura 4.11

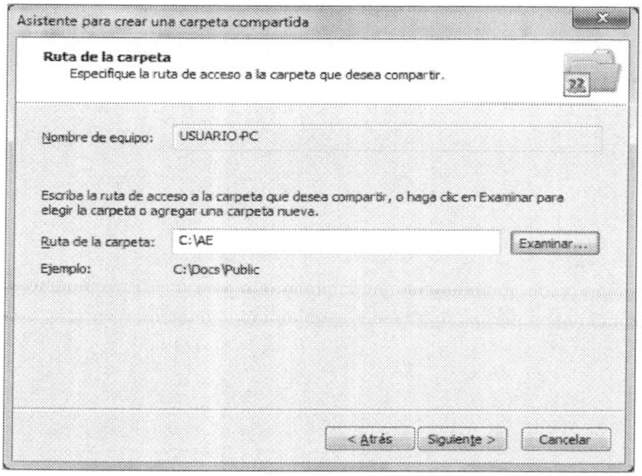

Figura 4.12

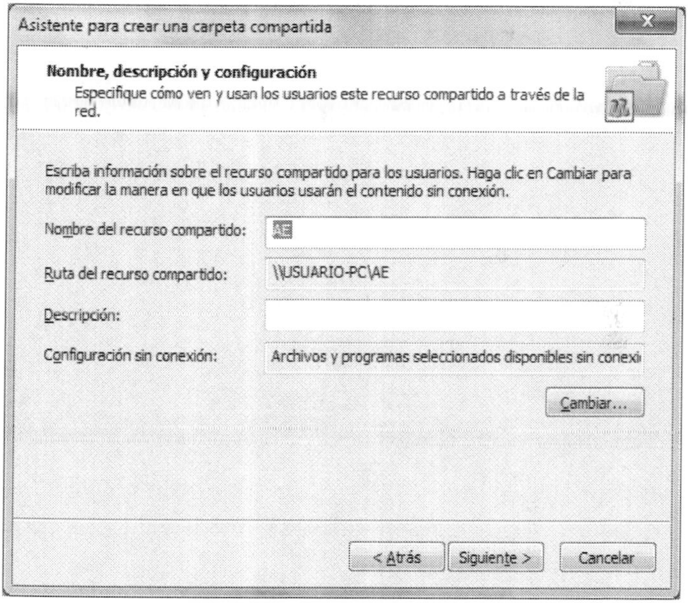

Figura 4.13

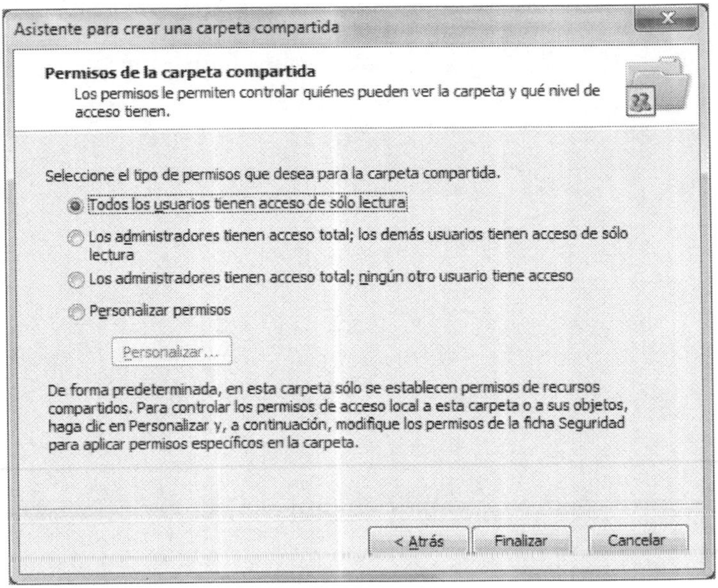

Figura 4.14

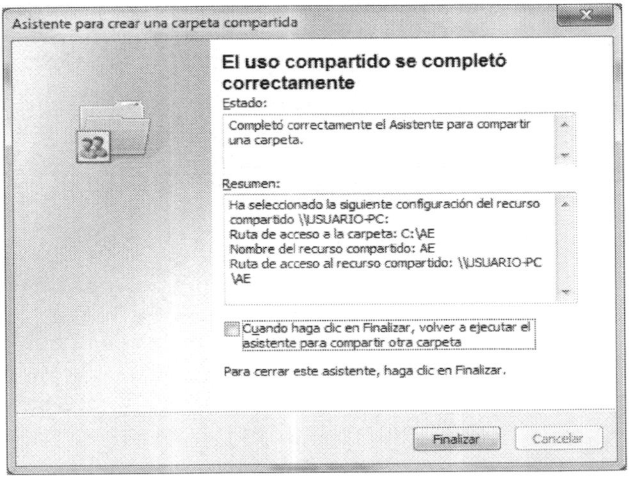

Figura 4.15

Para *dejar de compartir una carpeta* se tendrá en cuenta lo siguiente.

1. Haga clic en *Inicio* → *Panel de control* → *Sistema y Mantenimiento* → *Herramientas administrativas*, y, a continuación, haga clic en *Administración de equipos*.

2. En el árbol de la consola, haga clic en *Herramientas del sistema*; a continuación, haga clic en *Carpetas compartidas* y, después, en *Recursos compartidos*.

3. En el panel de detalles, haga clic con el botón secundario del ratón en una carpeta compartida y, a continuación, haga clic en *Dejar de compartir* (Figura 4.16).

4. Para dejar de compartir varios archivos, con la tecla CTRL presionada, haga clic en los nombres de archivo, haga clic con el botón secundario en cualquiera de los archivos seleccionados y, a continuación, haga clic en *Dejar de compartir*. Se quitará el acceso de red compartido a los archivos seleccionados.

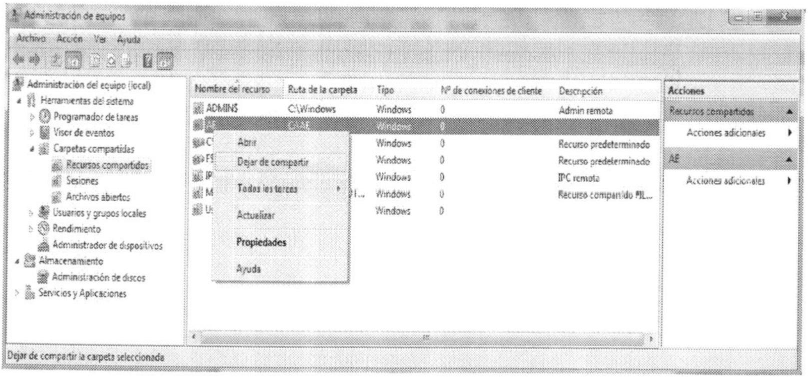

Figura 4.16

Para *cerrar un archivo o carpeta compartido abierto* se tendrá en cuenta lo siguiente:

1. Haga clic en *Inicio → Panel de control → Sistema y Mantenimiento → Herramientas administrativas*, y, a continuación, haga clic en *Administración de equipos*.

2. En el árbol de la consola, haga clic en *Herramientas del sistema*; a continuación, haga clic en *Carpetas compartidas* y, después, en *Archivos abiertos*.

3. Realice una de estas acciones:

   o   Para cerrar todos los archivos y carpetas abiertos, en el menú *Acción*, haga clic en *Desconectar todos los archivos abiertos* (Figura 4.17).

   o   Para cerrar un archivo o carpeta específico, en el panel *Resultados*, haga clic con el botón secundario en el nombre de archivo o carpeta y, a continuación, haga clic en *Cerrar el archivo abierto*.

   o   Para desconectar varios archivos o carpetas abiertos, con la tecla CTRL presionada, haga clic en los nombres de archivo o carpeta, haga clic con el botón secundario en cualquiera de los archivos o carpetas seleccionados y, a continuación, haga clic en *Cerrar el archivo abierto*. Se cerrarán los archivos o carpetas seleccionados.

Para desconectar a un usuario o a todos los usuarios de una carpeta compartida o unidad se tendrá en cuenta lo siguiente:

1. Haga clic en *Inicio → Panel de control → Sistema y Mantenimiento → Herramientas administrativas*, y, a continuación, haga clic en *Administración de equipos*.

2. En el árbol de la consola, haga clic en *Herramientas del sistema*; a continuación, haga clic en *Carpetas compartidas* y, después, en *Sesiones*.

3. Para desconectar a todos los usuarios, en el menú *Acción*, haga clic en *Desconectar todas las sesiones* (Figura 4.18). Para desconectar a un usuario específico, en el panel *Detalles*, haga clic con el botón secundario del ratón en el nombre de usuario y, a continuación, haga clic en *Cerrar sesión*.

Para *establecer permisos en una carpeta compartida* se tendrá en cuenta lo siguiente:

1. Haga clic en *Inicio* → *Panel de control* → *Sistema y Mantenimiento* → *Herramientas administrativas*, y, a continuación, haga clic en *Administración de equipos*.

2. En el árbol de la consola, haga clic en *Herramientas del sistema*; a continuación, haga clic en *Carpetas compartidas* y, después, en *Recursos compartidos*.

3. En el panel de detalles, haga clic con el botón secundario en la carpeta compartida y, a continuación, haga clic en *Propiedades* (Figura 4.19).

4. En la ficha *Permisos de los recursos compartidos* (Figura 4.20), establezca los permisos que desee:

    o   Para asignar permisos a un usuario o grupo a una carpeta compartida, haga clic en *Agregar*. En el cuadro de diálogo *Seleccionar usuarios, equipos o grupos*, busque o escriba el nombre del usuario o grupo y, a continuación, haga clic en *Aceptar*.

    o   Para revocar el acceso a una carpeta compartida, haga clic en *Quitar*.

    o   Para establecer permisos individuales para el usuario o grupo, en *Permisos de grupos o usuarios*, seleccione *Permitir* o *Denegar*.

5. Para establecer permisos de archivos y carpetas que se apliquen a los usuarios que inicien sesión localmente o mediante Terminal Services, haga clic en la ficha *Seguridad* (Figura 4.21) y establezca los permisos adecuados.

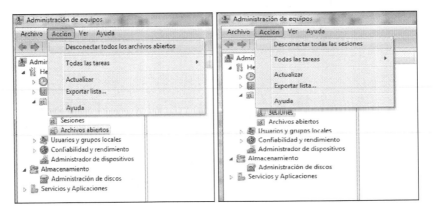

Figura 4.17   *Figura 4.18*

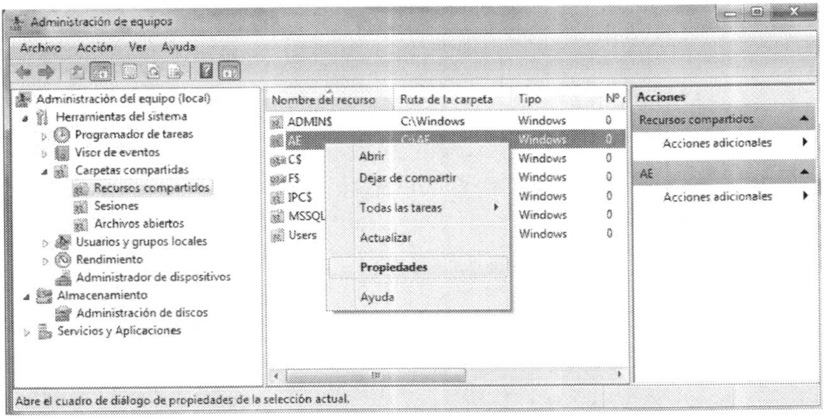

Figura 4.19

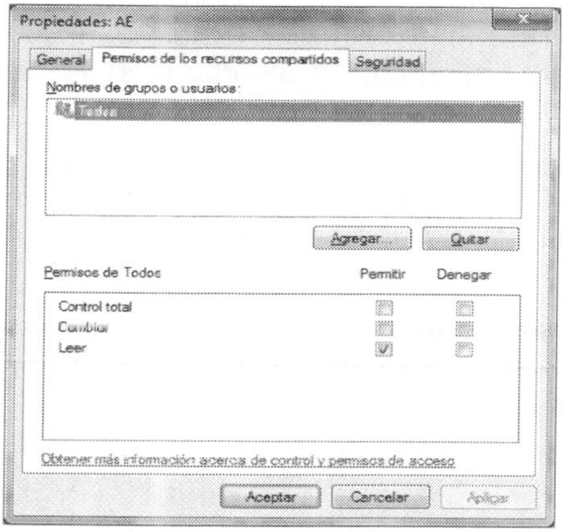

Figura 4.20

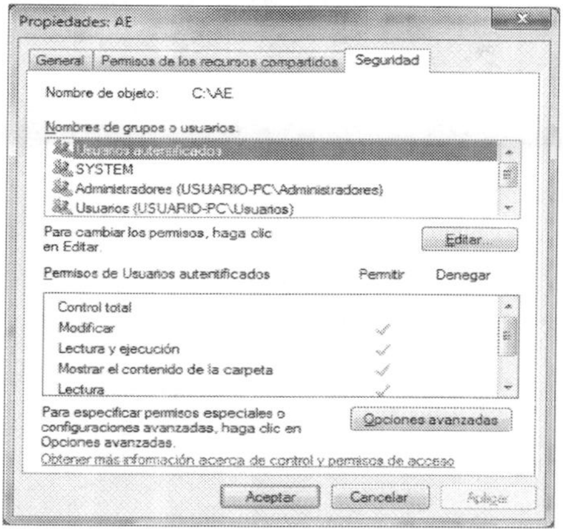

Figura 4.21

Para *limitar el número de usuarios de una carpeta compartida* se tendrá en cuenta lo siguiente:

1. Haga clic en *Inicio* → *Panel de control* → *Sistema y Mantenimiento* → *Herramientas administrativas*, y, a continuación, haga clic en *Administración de equipos*.

2. En el árbol de la consola, haga clic en *Herramientas del sistema*; a continuación, haga clic en *Carpetas compartidas* y, después, en *Recursos compartidos*.

3. En el panel de detalles, haga clic con el botón secundario del ratón en la carpeta compartida y haga clic en *Propiedades*.

4. En la ficha *General* (Figura 4.22), en *Límite de usuarios*, especifique el límite que desee:

   o Para establecer el límite en el número máximo, haga clic en *Máximo permitido*.

   o Para especificar un número para el límite, haga clic en *Permitir esta cantidad de usuarios* y, a continuación, escriba el número de usuarios en el cuadro.

   o El botón *Configuración de conexión* permite elegir si el contenido del recurso compartido estará disponible o no sin conexión (Figura 4.23).

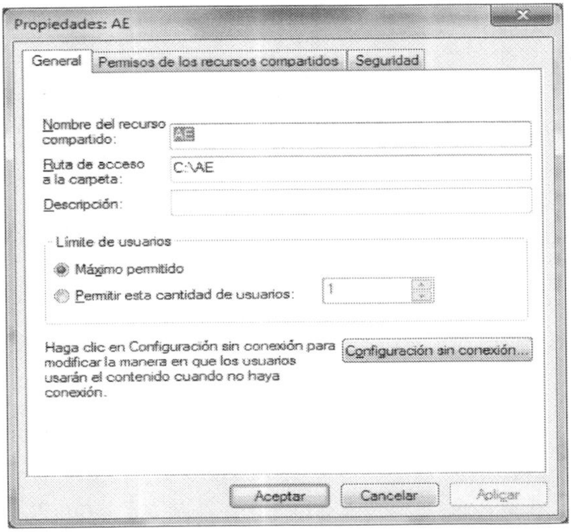

Figura 4.22

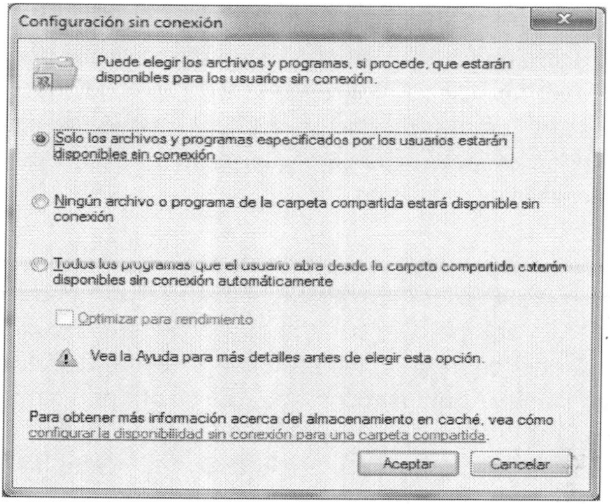

Figura 4.23

4.3.3 Administrador de dispositivos

El Administrador de dispositivos se utiliza para instalar y actualizar los controladores de los dispositivos de hardware, cambiar la configuración de hardware de estos dispositivos y solucionar problemas. Un controlador de dispositivo es software que permite a Windows comunicarse con un dispositivo de hardware determinado. Para que Windows pueda usar cualquier hardware nuevo, se debe instalar un controlador de dispositivo.

El Administrador de dispositivos proporciona una vista gráfica del hardware que está instalado en el equipo. Todos los dispositivos se comunican con Windows mediante un software denominado controlador de dispositivo. Puede usar el Administrador de dispositivos para instalar y actualizar los controladores para los dispositivos de hardware, modificar la configuración de hardware de estos dispositivos y solucionar problemas, determinar si el hardware del equipo funciona correctamente, identificar los controladores de dispositivo cargados para cada dispositivo y obtener información acerca de cada controlador de dispositivo, cambiar la configuración avanzada y las propiedades de los dispositivos, instalar controladores de dispositivo actualizados, habilitar, deshabilitar y desinstalar dispositivos, revertir a la versión anterior de un controlador, ver los dispositivos según el tipo, la conexión al equipo o los recursos que usan y mostrar u ocultar dispositivos ocultos cuya visualización no es importante pero que pueden ser necesarios para la solución avanzada de problemas.

El Administrador de dispositivos se suele usar para comprobar el estado del hardware y actualizar los controladores de dispositivos del equipo. Los usuarios avanzados con conocimientos del hardware del equipo también pueden usar las características de diagnóstico del Administrador de dispositivos para resolver conflictos entre dispositivos y cambiar la configuración de recursos. Normalmente, no será necesario usar el Administrador de dispositivos para cambiar la configuración de recursos, ya que el sistema asigna automáticamente los recursos durante la instalación del hardware. Puede usar el Administrador de dispositivos para administrar los dispositivos sólo en un equipo local. En un equipo remoto, el Administrador de dispositivos únicamente funciona en modo de sólo lectura, permitiendo ver la configuración de hardware del equipo pero no cambiarla. El Administrador de dispositivos puede iniciarse de varias formas como veremos en los párrafos siguientes.

Para *abrir el Administrador de dispositivos mediante la interfaz de Windows*, haga clic en *Inicio* y, después, en *Panel de control → Sistema y seguridad → Herramientas administrativas → Administración de equipos → Herramientas del sistema → Administrador de dispositivos* Se abre Administración de equipos, que incluye el Administrador de dispositivos como uno de sus componentes dentro de Herramientas del sistema (Figura 4.24).

También se puede *abrir el Administrador de dispositivos mediante Inicio → Panel de Control → Sistema → Administración de dispositivos* (Figura 4.25). Se abre Administración de dispositivos con el aspecto de la Figura 4.26.

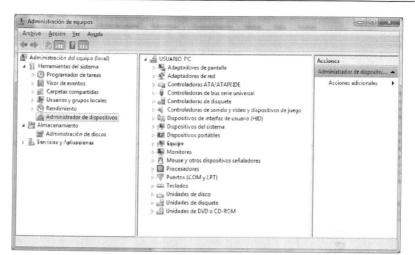

Figura 4.24

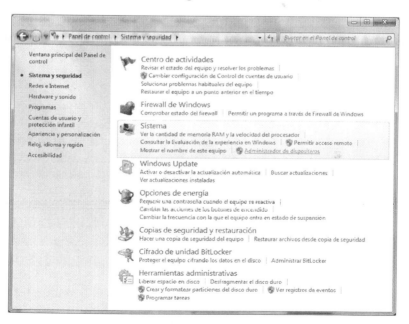

Figura 4.25

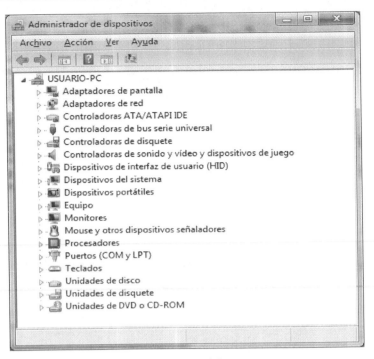

Figura 4.26

El Administrador de dispositivos permite ver los detalles de la configuración de hardware, incluido su estado, los controladores que se están usando y otra información adicional. El estado de un dispositivo muestra si el dispositivo tiene controladores instalados y si Windows puede comunicarse con el dispositivo.

Para *ver el estado de un dispositivo*, abra el Administrador de dispositivos, haga doble clic en el tipo de dispositivo que desea ver, haga clic con el botón secundario del ratón en el dispositivo que desee y, a continuación, haga clic en *Propiedades* (Figura 4.27). En la ficha *General*, el área *Estado del dispositivo* muestra la descripción del estado actual. Si el dispositivo tiene algún problema, se mostrará el tipo de problema. También es posible ver un código y número del problema así como una solución sugerida.

Si aparece el botón *Buscar una solución* y hace clic en él, podrá enviar un informe de error de Windows a Microsoft.

De forma predeterminada, los dispositivos se muestran en grupos por el tipo de dispositivo. Si lo prefiere, podrá verlos en función de cómo se conectan al equipo, como por ejemplo el bus al que están conectados. También puede ver los dispositivos según los recursos que usan.

Para *ver dispositivos según el tipo, la conexión o los recursos que usan*, abra el Administrador de dispositivos y en el menú *Ver*, haga clic en una de las opciones que aparecen en la Figura 4.28.

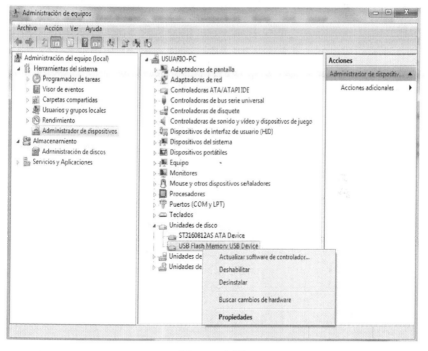

Figura 4.27

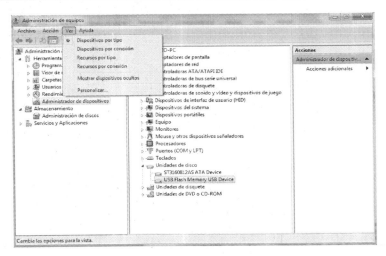

Figura 4.28

Para *ver información acerca de un controlador de dispositivo*, abra el Administrador de dispositivos, busque y haga clic con el botón secundario del ratón en el dispositivo que desee y, a continuación, haga clic en *Propiedades* (Figura 4.27). En la ficha *Controlador* se muestra la información acerca del controlador instalado actualmente (Figura 4.29). Si se hace clic en el botón *Detalles*, la página *Detalles del archivo de controlador* aparecerá con una lista de los archivos individuales que forman el controlador (Figura 4.30).

Figura 4.29 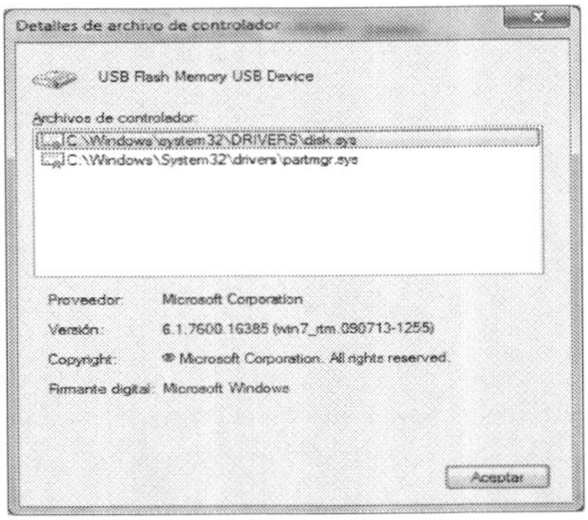   *Figura 4.30*

4.4 ALMACENAMIENTO. ADMINISTRACIÓN DE DISCOS

El árbol de la consola de Administración de equipos, al que se accede mediante *Inicio* → *Panel de control* → *Sistema y seguridad* → *Herramientas administrativas* → *Administración de equipos*, contiene un apartado dedicado al *Almacenamiento*, cuyo contenido esencial *Administración de discos* (Figura 4.31).

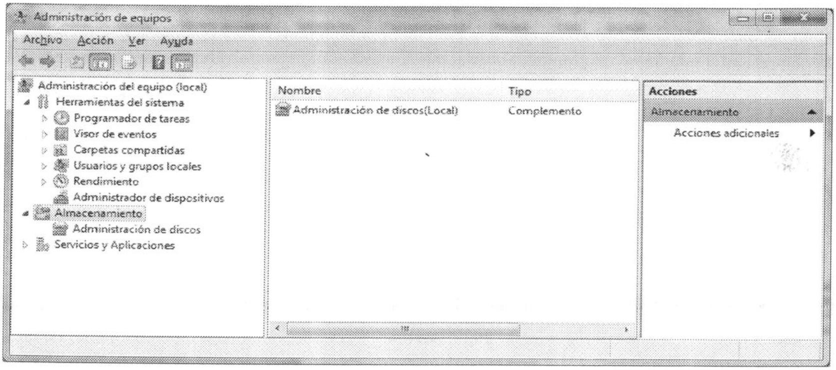

Figura 4.31

Administración de discos se utiliza para llevar a cabo tareas relacionadas con los discos como, por ejemplo, crear y formatear particiones y volúmenes y asignar letras de unidades. Además, puede usar el comando *DiskPart* junto con otras utilidades de la línea de comandos para realizar tareas de Administración de discos. Administración de discos es una utilidad del sistema para administrar los discos duros y los volúmenes o las particiones que contienen. Administración de discos permite inicializar discos, crear volúmenes y formatear volúmenes con los sistemas de archivos FAT, FAT32 o NTFS. También permite realizar la mayoría de tareas relacionadas con los discos sin necesidad de reiniciar el sistema o interrumpir las operaciones de los usuarios. La mayor parte de cambios en la configuración tienen efecto inmediatamente.

En esta versión de Windows, Administración de discos ofrece algunas características nuevas, como la creación de particiones más sencilla (al hacer clic con el botón secundario en un volumen, puede elegir directamente en el menú si crea una partición básica, distribuida o seccionada), nuevas opciones de conversión de disco (al agregar más de cuatro particiones en un disco básico, se le solicitará que convierta el disco en un disco dinámico o en el estilo de partición con tabla de particiones GUID GPT) y extensión y reducción de particiones (puede extender y reducir las particiones directamente desde la interfaz de Windows).

Al hacer clic en Administración de discos en la Figura 4.31 se obtiene un mapa con todas las unidades instaladas en el equipo (Figura 4.32).

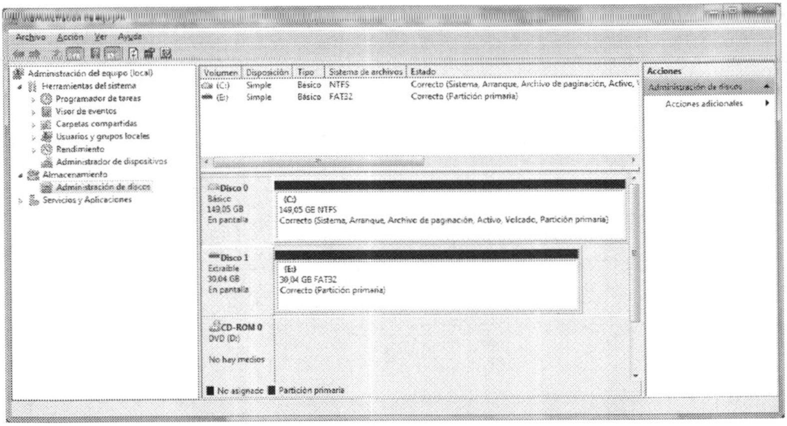

Figura 4.32

4.4.1 Inicializar discos

Los discos nuevos suelen aparecer sin inicializar. Para poder usar un disco, primero debe inicializarlo. Si inicia Administración de discos después de agregar un disco, aparecerá el *Asistente para inicializar y convertir discos* para que pueda inicializarlo. Para *inicializar un disco* se tendrá en cuenta lo siguiente:

1. En Administración de discos, haga clic con el botón secundario en el disco que desea inicializar y, a continuación, haga clic en *Inicializar disco*.

2. En el cuadro de diálogo *Inicializar disco*, seleccione los discos que desea inicializar. Puede seleccionar el estilo de partición de registro de arranque maestro (MBR) o de tabla de particiones GUID (GPT).

3. El disco se inicializa como disco básico

4.4.2 Discos básicos y dinámicos

Los discos básicos sólo admiten particiones primarias, particiones extendidas y unidades lógicas. Los discos básicos son compatibles con los sistemas operativos desde MS-DOS, mientras que los dinámicos a partir de Windows 2000. Los discos dinámicos tienen características que no tienen los básicos tales como crear volúmenes con múltiples discos y volúmenes tolerantes a fallos (RAID-5).

Para *convertir un disco básico en dinámico*, en Administración de discos, haga clic con el botón secundario en el disco que desea convertir y en el menú emergente resultante haga clic en *Convertir en disco dinámico* (Figura 4.33). Siga las instrucciones que aparecen en pantalla. Después de convertir un disco básico en disco dinámico, no podrá volver a cambiar los volúmenes dinámicos a particiones. En lugar de ello, deberá eliminar todos los volúmenes dinámicos del disco y, a continuación, usar el comando *Convertir en disco básico*. Si desea conservar los datos, primero debe realizar una copia de seguridad o moverlos a otro volumen. Una vez convertido, un disco dinámico no contendrá volúmenes básicos (particiones primarias ni unidades lógicas). Cuando se convierte un disco básico en dinámico, todas las particiones y unidades lógicas del disco básico se convertirán en volúmenes simples del disco dinámico. Para que la conversión pueda realizarse, los discos de registro de arranque maestro (MBR) que vayan a convertirse deben contener al menos 1 MB de espacio para la base de datos de discos dinámicos.

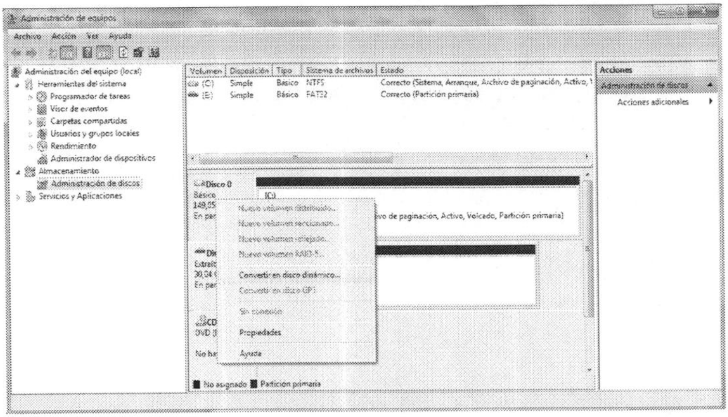

Figura 4.33

Para *cambiar un disco dinámico a básico* se tendrá en cuenta lo siguiente:

1. Realice una copia de seguridad de todos los volúmenes del disco que desee convertir de dinámicos a básicos.

2. En Administración de discos, haga clic con el botón secundario en el disco dinámico que desea convertir en disco básico y, después, haga clic en *Eliminar volumen* para cada volumen del disco.

3. Cuando se hayan eliminado todos los volúmenes del disco, haga clic con el botón secundario en el disco y, a continuación, haga clic en *Convertir en disco básico*.

4.4.3 Mover discos a otro equipo

Para mover discos a otro equipo, la primera tarea es utilizar Administración de discos para asegurarse de que el estado de los volúmenes de los discos es correcto. Si el estado no es correcto, debe reparar los volúmenes antes de mover los discos.

Para comprobar el estado de los volúmenes, consulte la columna *Estado* en la vista *Lista de volúmenes* (Figura 4.22) o en la información de tamaño de volumen y sistema de archivos en la vista gráfica.

La siguiente tarea es *desinstalar los discos que desea mover* con el Administrador de dispositivos. Para ello se tendrá en cuenta lo siguiente:

1. Abra el Administrador de dispositivos en Administración de equipos.

2. En la lista de dispositivos, haga doble clic en *Unidades de disco*.

3. Haga clic con el botón secundario en los discos que desea desinstalar y, a continuación, haga clic en *Desinstalar* (Figura 4.34).

4. En el cuadro de diálogo *Confirmar la eliminación del dispositivo*, haga clic en *Aceptar*.

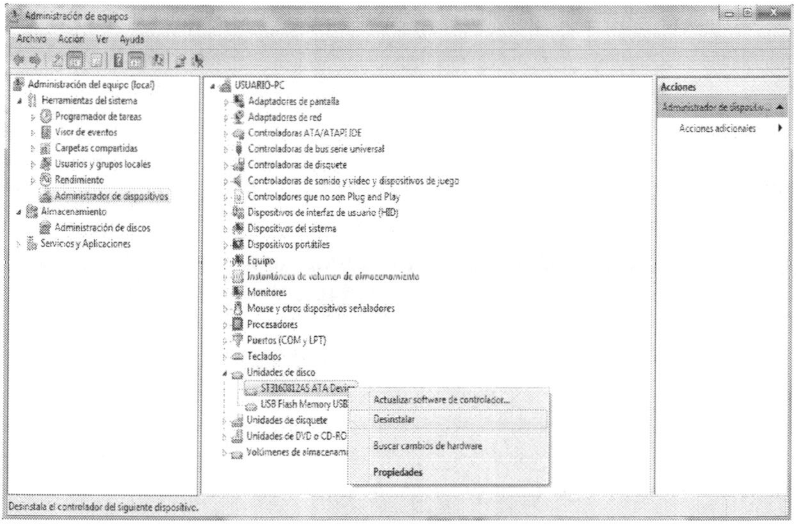

Figura 4.34

Si los discos que desea mover son dinámicos, en Administración de discos, haga clic con el botón secundario en los discos que desea mover y, a continuación, haga clic en *Quitar disco*. Una vez quitados los discos dinámicos o si está moviendo discos básicos, ya puede desconectarlos físicamente. Si los discos son externos, ya puede desconectarlos del equipo. Si son internos, apague el equipo y, después, quite físicamente los discos.

La siguiente tarea será *instalar los discos en un equipo nuevo*. Si se trata de discos externos, conéctelos al equipo. Si los discos son internos, asegúrese de que el equipo esté apagado y, a continuación, instale físicamente los discos en él. Inicie el equipo que contiene los discos que movió y siga las instrucciones del cuadro de diálogo *Nuevo hardware encontrado*.

Todavía resta la tarea de *importar los discos desde el equipo nuevo*. Para ello, en el equipo nuevo, abra Administración de discos. Haga clic en *Acción* y, a continuación, en *Volver a examinar los discos*. Haga clic con el botón secundario en cualquier disco que esté marcado como *Externo*, haga clic en *Importar discos externos* y, a continuación, siga las instrucciones de la pantalla.

Cuando se mueven a otro equipo, los volúmenes básicos reciben la siguiente letra de unidad disponible en el equipo de destino. Los volúmenes dinámicos conservan la letra de unidad que tenían en el equipo anterior. Si un volumen dinámico no tenía una letra de unidad en el equipo anterior, no recibe ninguna letra de unidad al moverse a otro equipo. Si la letra de unidad ya se utiliza en el equipo nuevo, el volumen recibe la siguiente letra disponible.

Cuando se mueven volúmenes distribuidos, seccionados, reflejados o RAID-5, es muy recomendable mover conjuntamente todos los discos que contienen el volumen. En caso contrario, los volúmenes de los discos no podrán ponerse en conexión y no será posible el acceso a ellos salvo para eliminarlos.

Se pueden mover varios discos de equipos distintos a otro equipo si se instalan los discos, se abre Administración de discos, se hace clic con el botón secundario en cualquiera de los discos nuevos y se hace clic en *Importar discos externos*. Siempre que se importen varios discos de equipos distintos, se deben importar todos los discos de un solo equipo cada vez. Por ejemplo, si desea mover discos de dos equipos, importe primero los de uno de ellos y, a continuación, importe los del otro.

Si mueve un disco con tabla de particiones GUID que contiene el sistema operativo Windows a un equipo basado en x86 o x64, podrá obtener acceso a los datos, pero no podrá arrancar el equipo desde ese sistema operativo.

4.4.4 Administrar volúmenes básicos

Un disco básico es un disco físico que contiene particiones primarias, particiones extendidas o unidades lógicas. Las particiones y las unidades lógicas de los discos básicos se conocen como volúmenes básicos. Sólo puede crear volúmenes básicos en discos básicos. Para agregar más espacio a las particiones primarias y unidades lógicas existentes, puede ampliarlas con espacio adyacente, contiguo y no asignado del mismo disco. Para extender un volumen básico, debe darle formato con el sistema de archivos NTFS. Puede extender una unidad lógica con espacio libre contiguo de la partición extendida a la que pertenece. Si extiende una unidad lógica más allá del espacio libre disponible en la partición extendida, ésta crecerá para contener la unidad lógica, siempre que a continuación exista espacio contiguo no asignado.

Cuando monte una unidad local en una carpeta vacía en un volumen NTFS, Administración de discos asignará una ruta de acceso a la unidad en lugar de una letra de unidad. Las rutas de acceso de unidad sólo están disponibles en carpetas vacías en volúmenes NTFS básicos o dinámicos. Para *crear una unidad montada* se tendrá en cuenta lo siguiente:

1. En el Administrador de discos, haga clic con el botón secundario en el volumen o partición que desea montar y, a continuación, haga clic en *Cambiar la letra y rutas de acceso de unidad.*

2. Realice una de las acciones siguientes:

   o Para montar un volumen, haga clic en *Agregar*. Haga clic en *Montar en la siguiente carpeta NTFS vacía*, escriba la ruta de acceso a una carpeta vacía en un volumen NTFS o haga clic en *Examinar* para buscarla.

   o Para desmontar un volumen, haga clic en él y, a continuación, en *Quitar*.

Puede agregar más espacio a las particiones primarias y unidades lógicas existentes si las extiende en el espacio adyacente sin asignar del mismo disco. Para extender un volumen básico, dicho volumen no se debe haber procesado o debe estar formateado con el sistema de archivos NTFS. Puede extender una unidad lógica con espacio libre contiguo de la partición extendida a la que pertenece. Si extiende una unidad lógica más allá del espacio libre disponible en la partición extendida, ésta crecerá para contener la unidad lógica.

Para las unidades lógicas y volúmenes de arranque o de sistema, sólo puede extender el volumen en el espacio contiguo y únicamente si el disco puede actualizarse a un disco dinámico. Para el resto de volúmenes, puede extender el volumen en cualquier espacio no contiguo, pero se le pedirá que convierta el disco en un disco dinámico. Para *extender un volumen básico* se tendrá en cuenta lo siguiente:

1. En el Administrador de discos, haga clic con el botón secundario en el volumen básico que desea extender.

2. Haga clic en *Extender volumen...* (Figura 4.35).

3. Siga las instrucciones que aparecen en pantalla.

También es posible disminuir el espacio usado por las particiones primarias y unidades lógicas reduciéndolas en espacios adyacentes y contiguos del mismo disco.

Por ejemplo, si necesita una partición más pero no dispone de discos adicionales, puede reducir la partición existente de la parte final del volumen para crear un nuevo espacio sin asignar que puede usarse para una nueva partición. Al reducir una partición, todos los archivos se reubican automáticamente en el disco para generar un nuevo espacio sin asignar. Para reducir la partición no es necesario volver a formatear el disco. Para *reducir un volumen básico* se tendrá en cuenta lo siguiente:

1. En el Administrador de discos, haga clic con el botón secundario en el volumen básico que desea extender.

2. Haga clic en *Reducir volumen...* (Figura 4.25).

3. Siga las instrucciones que aparecen en pantalla.

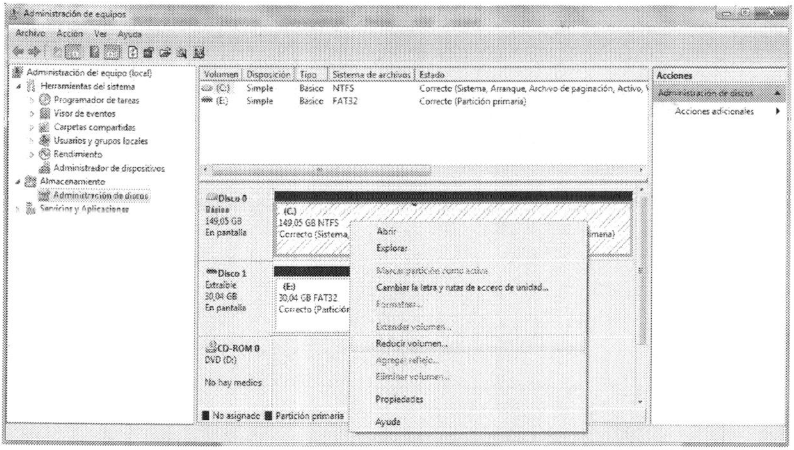

Figura 4.35

4.4.5 Crear y formatear una partición del disco duro (volumen básico)

Para crear una partición o volumen (los dos términos se usan a menudo indistintamente para volúmenes básicos) en un disco duro, debe existir espacio (vacío) no asignado en el disco duro o espacio libre dentro de una partición extendida en el disco duro. Si no hay espacio no asignado, puede crearlo reduciendo una partición existente, eliminando una partición o usando un programa para crear particiones de otro fabricante.

Para crear y formatear una partición (volumen) se tendrá en cuenta lo siguiente:

1. En el Administrador de discos haga clic con el botón secundario del ratón en una región sin asignar del disco duro y, a continuación, haga clic en *Nuevo volumen simple*.

2. En el *Asistente para nuevo volumen simple*, haga clic en *Siguiente*.

3. Escriba el tamaño del volumen que desea crear en megabytes (MB) o acepte el tamaño máximo predeterminado y, a continuación, haga clic en *Siguiente*.

4. Acepte la letra de unidad predeterminada o seleccione una letra de unidad diferente para identificar la partición y, a continuación, haga clic en *Siguiente*.

5. En el cuadro de diálogo *Formatear la partición*, realice una de las siguientes acciones:

   o Si no desea aplicar formato al volumen ahora mismo, haga clic en *No formatear este volumen* y, a continuación, haga clic en *Siguiente*.

   o Para formatear el volumen con la configuración predeterminada, haga clic en *Siguiente*.

6. Revise sus opciones y luego haga clic en *Finalizar*.

Cuando cree particiones en un disco básico usando Administración de discos, los tres primeros volúmenes que cree se formatearán como particiones primarias. A partir del cuarto volumen, los volúmenes se configurarán como unidades lógicas de una partición extendida.

Es posible en esta versión de Windows *volver a realizar particiones del disco duro* empleando la característica *Reducir* en *Administración de discos* (ya estudiada). Puede reducir una partición o volumen existentes para crear espacio de disco no asignado, desde el que puede crear una nueva partición o volumen.

Para formatear una partición existente (volumen) se tendrá en cuenta lo siguiente:

1. En el Administrador de discos haga clic con el botón secundario del ratón en el volumen que desea formatear y, a continuación, haga clic en *Formatear*.

2. Para formatear el volumen con la configuración predeterminada, en el cuadro de diálogo *Formatear* (Figura 4.36), haga clic en *Aceptar* y, a continuación, de nuevo en *Aceptar*.

Al formatear un volumen, se destruyen todos los datos de la partición. Si necesita guardar datos del volumen, muévalos de forma temporal o permanente a otro dispositivo o ubicación de almacenamiento antes de continuar.

El *formato rápido* es una opción de formato que crea una tabla de archivos nueva pero que no sobrescribe ni borra completamente el volumen. Un formato rápido es mucho más rápido que uno normal, que borra completamente los datos existentes en el volumen. Se puede formatear el disco duro seleccionando *Inicio* → *Equipo*, haciendo clic con le botón derecho en la unidad a formatear y eligiendo *Formatear* en el menú emergente resultante (Figura 4.37). De forma similar se puede *formatear un disquete* (Figura 4.38).

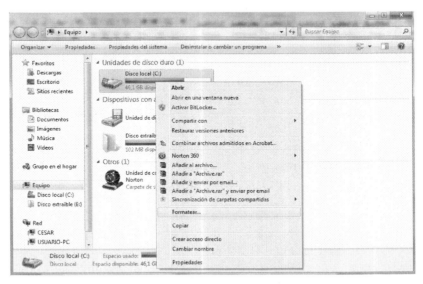

Figura 4.36

Figura 4.37

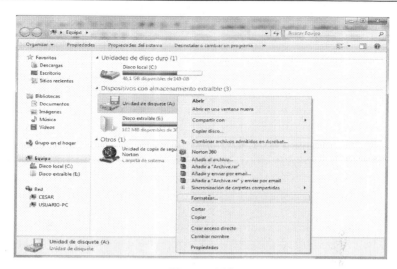

Figura 4.38

4.4.6 Administrar volúmenes dinámicos. Volúmenes simples, distribuidos y seccionados

Los discos básicos y los discos dinámicos son dos tipos de configuraciones de disco duro en Windows. La mayoría de los equipos personales están configurados como discos básicos, que son los más sencillos de administrar. Los discos dinámicos pueden utilizar varios discos duros dentro de un equipo para duplicar los datos a fin de aumentar el rendimiento y la confiabilidad.

Un disco básico usa particiones primarias, particiones extendidas y unidades lógicas para organizar datos. Una partición formateada también se denomina volumen (los términos volumen y partición se usan por lo general indistintamente). En esta versión de Windows, los discos básicos pueden tener cuatro particiones primarias o tres primarias y una partición extendida. La partición extendida puede contener un número ilimitado de unidades lógicas. Las particiones de un disco básico no pueden compartir ni dividir datos con otras particiones. Cada partición de un disco básico es una entidad independiente del disco.

Los discos dinámicos pueden contener un número ilimitado de volúmenes dinámicos que funcionan como las particiones primarias usadas en discos básicos. La diferencia principal entre los discos básicos y los discos dinámicos es que los discos dinámicos pueden dividir o compartir datos entre dos o más discos duros dinámicos de un equipo. Por ejemplo, un volumen dinámico único puede estar compuesto realmente de espacio de almacenamiento en dos discos duros independientes, Además, los discos dinámicos pueden duplicar datos entre dos o más discos duros para protegerse frente a la posibilidad de un error del disco único. Esta capacidad requiere más discos duros pero mejora la confiabilidad.

Dentro de los volúmenes dinámicos hay que distinguir entre volúmenes simples y volúmenes distribuidos. Un *volumen simple* es un volumen dinámico formado por espacio de un solo disco dinámico. Un volumen simple puede abarcar una sola región de un disco o varias regiones del mismo disco vinculadas entre sí. Sólo se pueden crear volúmenes simples en discos dinámicos. Los volúmenes simples no son tolerantes a fallos.

Un *volumen distribuido* es un volumen dinámico que consta de espacio en disco en más de un disco físico. Si un volumen simple no es un volumen de sistema o de arranque, puede extenderlo en varios discos para crear un volumen distribuido o puede crear un volumen distribuido en el espacio sin asignar de un disco dinámico. Para crear un volumen distribuido se necesitan como mínimo dos discos dinámicos, aparte del disco de inicio. Puede extender un volumen distribuido hasta un máximo de 32 discos dinámicos.

Para *crear un volumen dinámico simple* se tendrá en cuenta lo siguiente:

1. En Administración de discos, haga clic con el botón secundario en el espacio sin asignar de un disco dinámico en el que desea crear el volumen simple y, a continuación, haga clic en *Nuevo volumen simple*.

2. En el Asistente para nuevo volumen, haga clic en *Siguiente*, haga clic en *Simple* y, a continuación, siga las instrucciones de la pantalla.

Para *extender o reducir un volumen dinámico simple* se tendrá en cuenta lo siguiente:

1. En Administración de discos, haga clic con el botón secundario en el volumen simple o distribuido que desea extender o reducir.

2. Haga clic en *Extender volumen* o en *Reducir volumen*.

3. Siga las instrucciones que aparecen en pantalla.

Para *crear un volumen dinámico distribuido* se tendrá en cuenta lo siguiente:

1. En Administración de discos, haga clic con el botón secundario en el espacio sin asignar de un disco dinámico en el que desea crear el volumen simple y, a continuación, haga clic en *Nuevo volumen distribuido*.

2. En el Asistente para nuevo volumen, haga clic en *Siguiente*, haga clic en *Simple* y, a continuación, siga las instrucciones de la pantalla.

Para *extender o reducir un volumen dinámico simple distribuido* se tendrá en cuenta lo siguiente:

1. En Administración de discos, haga clic con el botón secundario en el volumen simple o distribuido que desea extender o reducir.

2. Haga clic en *Extender volumen* o en *Reducir volumen*.

3. Siga las instrucciones que aparecen en pantalla.

Un *volumen seccionado* es un volumen dinámico en el que los datos se almacenan en secciones repartidas en dos o más discos físicos. Los datos de un volumen seccionado se asignan de forma alternativa y equitativa (en bandas) en los discos. Estos volúmenes ofrecen el mejor rendimiento de todos los disponibles en Windows, pero no son tolerantes a errores. Si se produce un error en un disco de un volumen seccionado, se perderán los datos de todo el volumen. Sólo puede crear volúmenes seccionados en discos dinámicos. Los volúmenes seccionados no se pueden extender. Un disco seccionado se puede crear en un máximo de 32 discos dinámicos.

Para *crear un volumen dinámico seccionado* se tendrá en cuenta lo siguiente:

1. En Administración de discos, haga clic con el botón secundario en el espacio sin asignar de uno de los discos dinámicos donde desea crear el volumen seccionado y, a continuación, haga clic en clic *Nuevo volumen seccionado…*

2. Siga las instrucciones que aparecen en pantalla.

4.5 SERVICIOS

Un servicio es un tipo de aplicación que se ejecuta en segundo plano en el sistema, sin interfaz de usuario. Los servicios proporcionan características del sistema operativo principal, como servicios web, registro de eventos, servicios de archivos, impresión, criptografía e informes de errores. Puede utilizarse el complemento Servicios de *Microsoft Management Console* (MMC) para administrar los servicios que se ejecutan en equipos locales o remotos; por ejemplo, para detener o iniciar un servicio.

En equipos locales y remotos pueden realizarse varias acciones con los servicios. Destacan iniciar, detener, pausar, reanudar o deshabilitar servicios. Así mismo es posible configurar acciones de recuperación para llevar a cabo si se produce un error en un servicio; por ejemplo, reiniciar el servicio automáticamente o reiniciar el equipo. También es posible ejecutar servicios en el contexto de seguridad de una cuenta de usuario distinta de la del usuario que ha iniciado sesión o de la cuenta de equipo predeterminada. Adicionalmente es posible habilitar o deshabilitar servicios para un perfil de hardware específico, exportar y guardar información de servicio en un archivo *.txt* o *.csv*, ver el estado y la descripción de cada servicio y ver las dependencias de servicios.

Para iniciar el complemento *Servicios*, haga clic en *Inicio*, haga clic en el cuadro *Iniciar búsqueda*, escriba *services.msc* y presione *Entrar*. Alternativamente puede utilizar la ruta *Inicio* → *Panel de Control* → *Sistema* → *Administración de dispositivos* → *Servicios y aplicaciones* → *Servicios* (Figura 4.39).

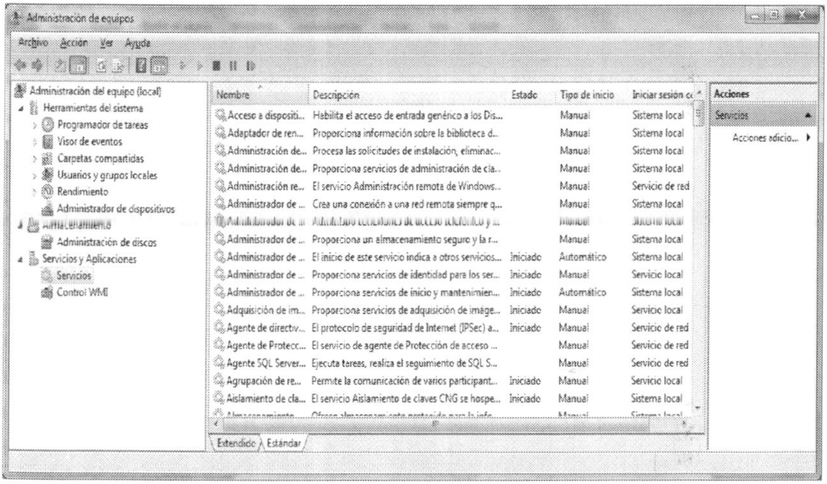

Figura 4.39

4.5.1 Iniciar, detener, pausar, reanudar, reiniciar o actualizar servicios

Para iniciar, detener, pausar, reanudar, reiniciar o actualizar un servicio se tendrá en cuenta lo siguiente:

1. Haga clic en *Inicio*, en el cuadro *Iniciar búsqueda*, escriba *services.msc* y, a continuación, presione *Entrar*. Alternativamente puede utilizar la ruta *Inicio* → *Panel de*

Control → *Sistema* → *Herramientas administrativas* → *Administración de dispositivos* → *Servicios y aplicaciones* → *Servicios* (Figura 4.39).

2. En el panel de detalles, haga clic con el botón secundario en el servicio para el que desea configurar acciones de recuperación y, a continuación, elija la acción conveniente en el menú emergente de la Figura 4.40.

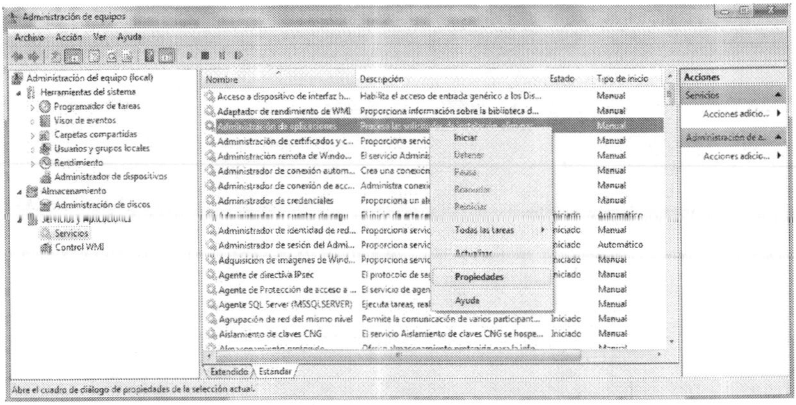

Figura 4.40

4.5.2 Habilitar o deshabilitar servicios al inicio

Para habilitar o deshabilitar un servicio para que se ejecute al inicio de sesión se tendrá en cuenta lo siguiente:

1. Haga clic en *Inicio*, en el cuadro *Iniciar búsqueda*, escriba *services.msc* y, a continuación, presione *Entrar*. Alternativamente puede utilizar la ruta *Inicio* → *Panel de Control* → *Sistema* → *Administración de dispositivos* → *Servicios y aplicaciones* → *Servicios* (Figura 4.39).

2. En el panel de detalles, haga clic con el botón secundario en el servicio para el que desea configurar acciones de recuperación y, a continuación, haga clic en *Propiedades* (Figura 4.40).

3. En la ficha *General* (Figura 4.41), en *Tipo de inicio*, haga clic en la acción que desee. El servicio puede deshabilitarse para que no se ejecute al inicio de sesión, habilitarse para inicio automático, habilitarse para inicio manual o habilitarse para inicio automático retrasado. Elegida la opción se hace clic en *Aplicar* y, a continuación, en *Aceptar*.

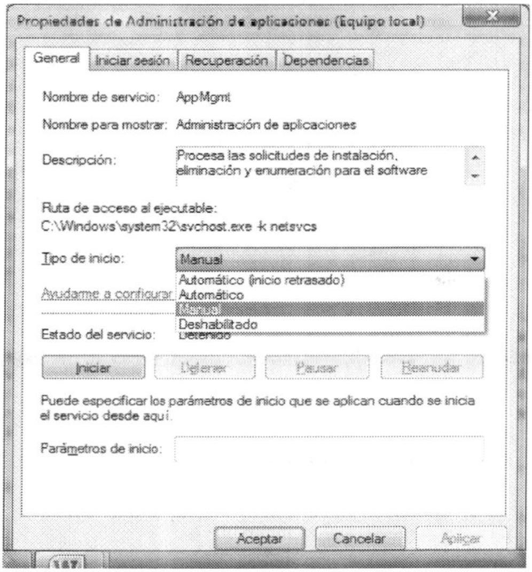

Figura 4.41

4.5.3 Ver las dependencias de un servicio

Muchos servicios de Windows no son independientes. Puede existir relación entre varios de ellos. Para ver las relaciones de dependencia de un servicio con cualquier otro, se tendrá en cuenta lo siguiente:

1. Haga clic en *Inicio*, en el cuadro *Iniciar búsqueda*, escriba *services.msc* y, a continuación, presione *Entrar*. Alternativamente puede utilizar la ruta *Inicio → Panel de Control → Sistema → Herramientas administrativas →*

Administración de dispositivos → *Servicios y aplicaciones* → *Servicios* (Figura 4.39).

2. En el panel de detalles, haga clic con el botón secundario en el servicio para el que desea configurar acciones de recuperación y, a continuación, haga clic en *Propiedades* (Figura 4.40).

3. En la ficha *Dependencias* (Figura 4.42), se observan los componentes del sistema de las que depende este servicio. Así mismo se observan los componentes del sistema que dependen de este servicio.

Figura 4.42

Capítulo 5

ADMINISTRACIÓN DE IMPRESIÓN, ARCHIVOS Y CARPETAS

5.1 ADMINISTRACIÓN DE IMPRESIÓN

La Administración de impresión ofrece un punto de administración central para compartir impresoras en una red y administrar las tareas de servidores de impresión e impresoras de red.

En aquellos equipos en los que se ejecuta Windows^R 7 y Windows Server^R 2008 R2, se puede compartir impresoras en una red y centralizar las tareas de administración del servidor de impresión y de las impresoras de red mediante el complemento Administración de impresión de *Microsoft Management Console* (MMC). Administración de impresión le ayuda a supervisar las colas de impresión y recibir notificaciones cuando las colas de impresión interrumpen el procesamiento de los trabajos de impresión. Además permite migrar los servidores de impresión e implementar conexiones de impresora con directivas de grupo.

La herramienta administrativa *Administración de impresión* proporciona detalles actualizados sobre el estado de las impresoras y los servidores de impresión de la red. Puede usar Administración de impresión para instalar conexiones de impresora en un grupo de equipos cliente de forma simultánea y para supervisar de forma remota las colas de impresión. Administración de impresión facilita la búsqueda de impresoras con errores mediante filtros.

Se accede a Administración de impresión desde el panel de Herramientas administrativas, mediante *Inicio → Panel de Control → Sistema → Herramientas administrativas → Administración de impresión* (Figura 5.1). Se obtiene la Figura 5.2.

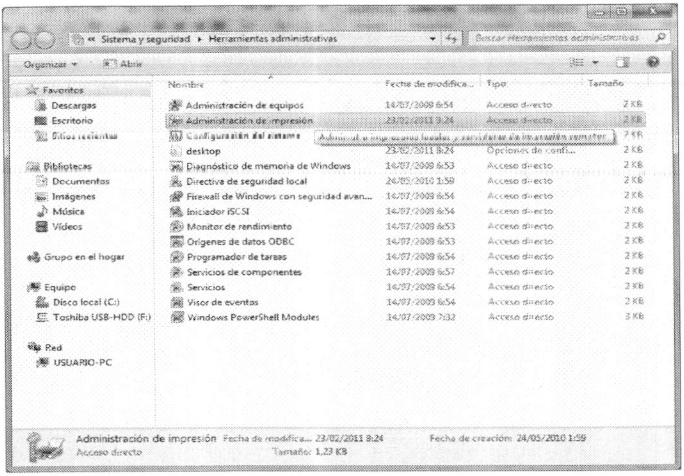

Figura 5.1

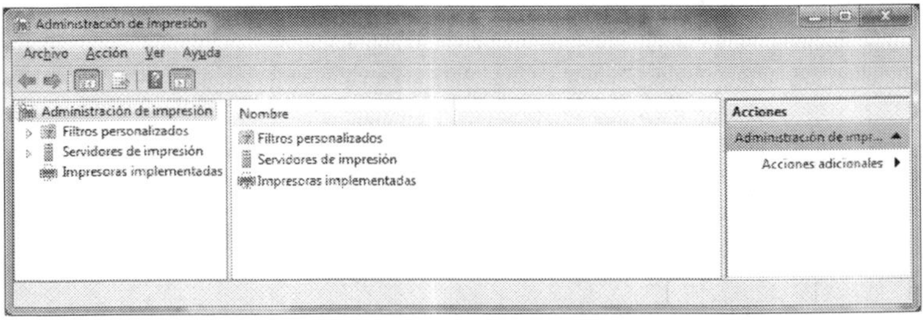

Figura 5.2

Además, se pueden enviar notificaciones por correo electrónico o ejecutar scripts cuando una impresora o un servidor de impresión precisen atención. Administración de impresión puede mostrar más datos (como los niveles de tóner o de papel) en las impresoras que incluyen una interfaz de administración basada en web.

Windows 7 también incluye el Servicio de impresión de LPD como una característica opcional de Windows. Puede instalar el Servicio de impresión de LPD desde el Panel de control mediante *Programas y características*. Windows 7 no incluye la característica *Impresión en Internet* ni el servicio de rol *Servidor de digitalización distribuida*.

5.1.1 Servicio LPD

El servicio Line Printer Daemon (LPD) instala e inicia el servicio Servidor de impresión TCP/IP (LPDSVC), el cual permite que equipos basados en UNIX u otros equipos que usan el servicio Line Printer Remote (LPR) impriman en impresoras compartidas de este servidor. También crea una excepción de entrada para el puerto 515 en firewall de Windows con seguridad avanzada.

Este servicio no requiere configuración. No obstante, si se detiene o reinicia el servicio de administrador de trabajos de impresión, también se detendrá el servicio Servidor de impresión TCP/IP y no se reiniciará automáticamente.

Para imprimir en una impresora o servidor de impresión que usa el protocolo LPD, puede usar el Asistente para la instalación de impresoras de red y un puerto de impresión TCP/IP estándar. Sin embargo, se debe instalar la característica Monitor de puerto de Line Printer Remote (LPR) para imprimir en un servidor de impresión UNIX. Para hacerlo, en Panel de control, haga clic en *Programas* → *Programas y características* → *Activar o desactivar las características de Windows*, expanda *Servicios de impresión y documentos*, active las casillas *Monitor de puerto de LPR* y *Servicio de impresión LPD*. Haga clic en *Aceptar* (Figuras 5.3 y 5.4).

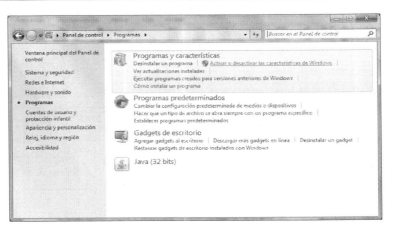

Figura 5.3

Figura 5.4

5.1.2 Impresión en Internet

Para instalar el Cliente de impresión en Internet en Windows 7, en el Panel de control haga clic en *Programas* → *Programas y características* → *Activar o desactivar las características de Windows*, expanda *Servicios de impresión y documentos,* active la casilla *Cliente de impresión en Internet* (Figura 5.4) y, a continuación, haga clic en *Aceptar*.

5.1.3 Agregar o quitar servidores de impresión

Para agregar servidores de impresión a Administración de impresión se tendrá en cuanmta lo siguiente:

1. Abra *Administración de impresión* mediante *Inicio* → *Panel de Control* → *Sistema* → *Herramientas administrativas* → *Administración de impresión* (Figura 5.2).

2. En el panel izquierdo, haga clic con el botón secundario en *Administración de impresión* y, a continuación, en *Agregar o quitar servidores* (Figura 5.5).

3. En el cuadro de diálogo *Agregar o quitar servidores* (Figura 5.6), en *Especificar servidor de impresión,* lleve a cabo uno de los siguientes procedimientos en el apartado *Agregar servidor*:

   o Escriba o pegue los nombres de los servidores de impresión; use comas para separar los nombres.

   o Haga clic en *Examinar* para ubicar y seleccionar el servidor de impresión.

4. Haga clic en *Agregar a la lista.*

5. Agregue todos los servidores de impresión que desee y haga clic en *Aceptar.*

Puede agregar el servidor local en el que está trabajando haciendo clic en Agregar el servidor local. No se pueden agregar servidores remotos a Administración de impresión desde el Administrador del servidor. Para quitar servidores de impresión de Administración de impresión se tendrá en cuenta lo siguiente:

1. Abra *Administración de impresión.*

2. En el panel izquierdo, haga clic con el botón secundario en *Administración de impresión* y, a continuación, en *Agregar o quitar servidores* (Figura 5.5).

3. En el cuadro de diálogo *Agregar o quitar servidores*, en *Servidores de impresión*, seleccione uno o varios servidores y, a continuación, haga clic en *Quitar* (Figura 5.6).

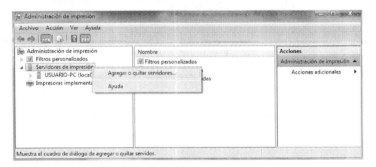

Figura 5.5

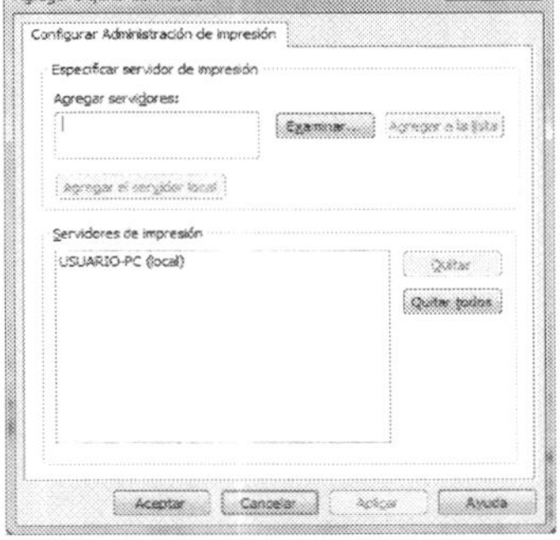

Figura 5.6

5.1.4 Migración de servidores de impresión

Para migrar servidores de impresión mediante se tendrá en cuenta lo siguiente:

1. Abra *Administración de impresión*. En el panel izquierdo, haga clic en *Servidores de impresión*, haga clic con el botón secundario en el servidor que contiene las colas de impresora que desea exportar y, a continuación, haga clic en *Exportar impresoras a un archivo* (Figura 5.7). Se iniciará el *Asistente para migración de impresoras* (Figura 5.8).

2. En la página *Seleccionar la ubicación del archivo*, especifique la ubicación donde guardar las opciones de configuración de las impresoras (Figura 5.9) y, a continuación, haga clic en *Siguiente* para guardar las impresoras. Se completarán los pasos del asistente (Figuras 7-10 y 7-11). Se hace clic en *Finalizar*.

3. Para importar impresoras. haga clic con el botón secundario en el equipo de destino donde desee importar las impresoras y, a continuación, haga clic en *Importar impresoras desde un archivo* (Figura 5.7). Se iniciará el *Asistente para migración de impresoras*.

4. En la página *Seleccionar la ubicación del archivo*, especifique la ubicación del archivo con las opciones de configuración de las impresoras (Figura 5.12) y, a continuación, haga clic en *Siguiente*. Se obtiene una revisión de los objetos que se importarán (Figura 5.13). Haga clic en *Siguiente*.

5. En la página *Seleccionar opciones de importación* (Figura 5.14), especifique las siguientes opciones de importación:

- o *Modo de importación.* Especifica qué hacer si una cola de impresora específica ya existe en el equipo de destino.

- o *Mostrar lista en el directorio.* Especifica dónde publicar las colas de impresión importadas en los Servicios de dominio de Active Directory.

- o *Convertir puertos LPR en monitores de puerto estándar.* Especifica si los puertos de impresora LPR (*Line Printer Remote*) del archivo de opciones de configuración de las impresoras deben convertirse en el monitor de puertos estándar (que es más rápido) al importar las impresoras.

6. Haga clic en *Siguiente* para importar las impresoras.

Figura 5.7

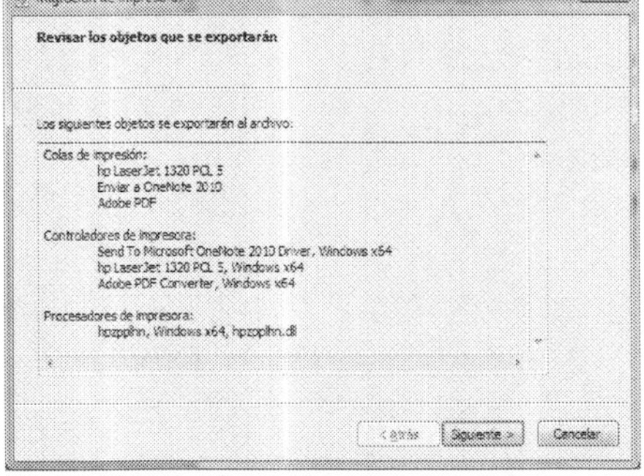

Figura 5.8

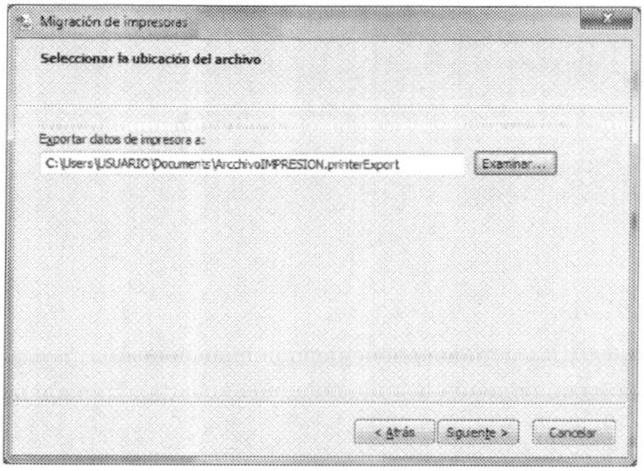

Figura 5.9

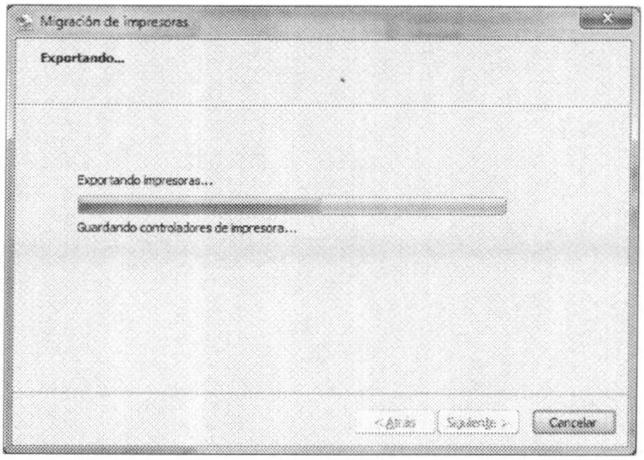

Figura 5.10

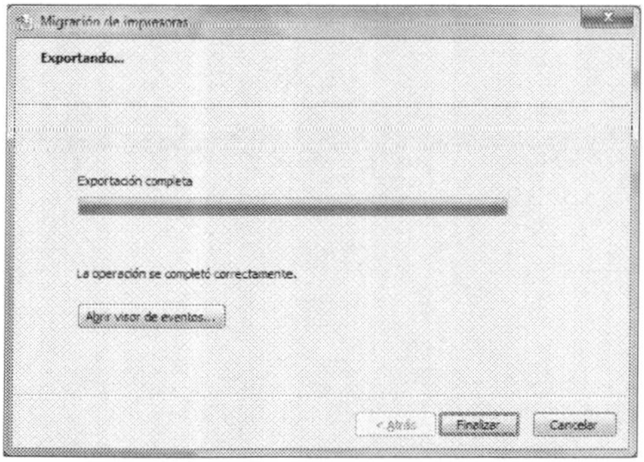

Figura 5.11

Figura 5.12

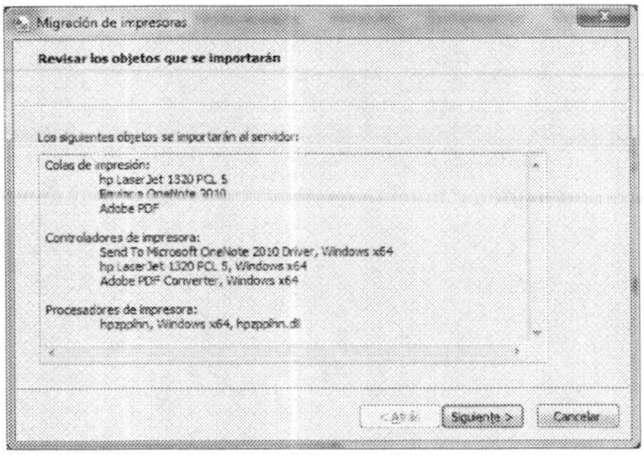

Figura 5.13

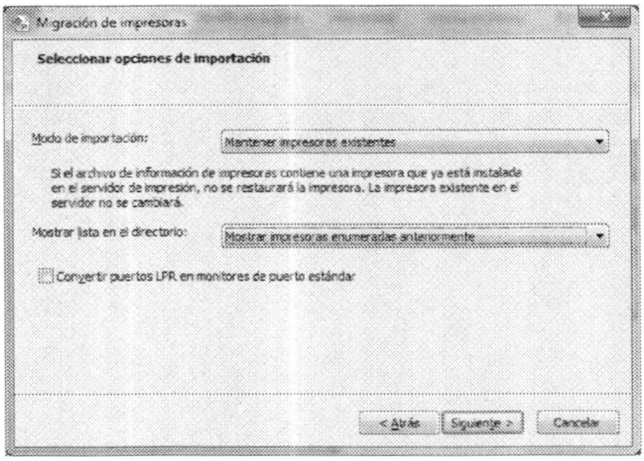

Figura 5.14

5.1.5 Agregar impresoras de red automáticamente

Puede usar el complemento Administración de impresión para detectar automáticamente todas las impresoras ubicadas en la misma subred que el equipo que ejecuta Administración de impresión, instalar los controladores de impresora adecuados, configurar las colas y compartir las impresoras. Para agregar una impresora por dirección IP o nombre de host, debe ser miembro del grupo local Administradores o bien obtener el permiso Administrar servidor.

Para agregar automáticamente impresoras de red a un servidor de impresión se tendrá en cuenta lo siguiente:

1. Abra *Administración de impresión*.

2. En el panel izquierdo, haga clic en *Servidores de impresión*, haga clic en el servidor de impresión correspondiente, haga clic con el botón secundario en *Impresoras* y, por último, haga clic en *Agregar impresora* (Figura 5.15).

3. En la página *Instalación de impresora* del *Asistente para la instalación de impresoras de red*, haga clic en *Buscar impresoras en la red* (Figura 5.16) y, a continuación, haga clic en *Siguiente* (Figura 5.17). Si se le solicita, especifique el controlador que se va a instalar para la impresora.

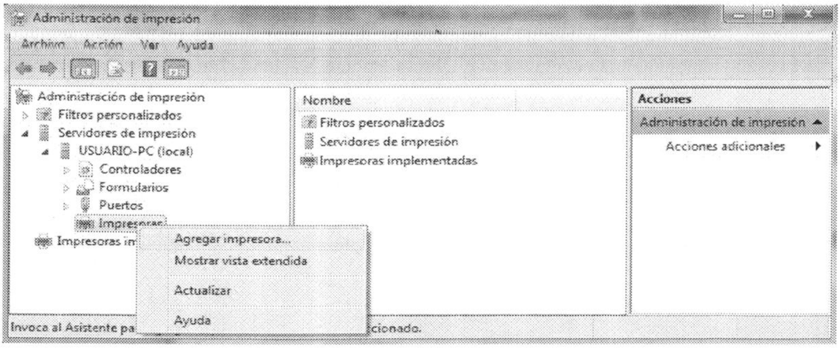

Figura 5.15

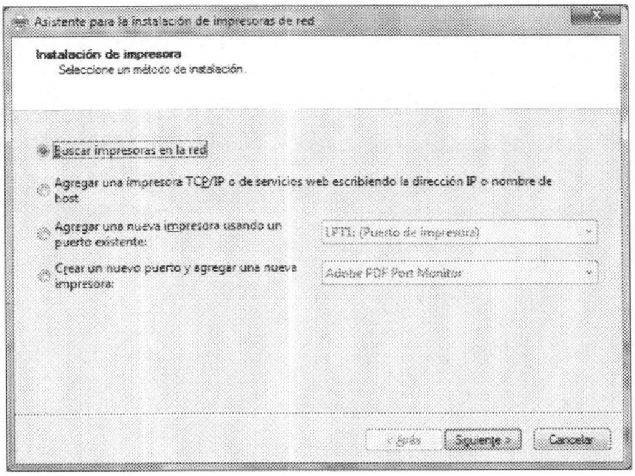

Figura 5.16

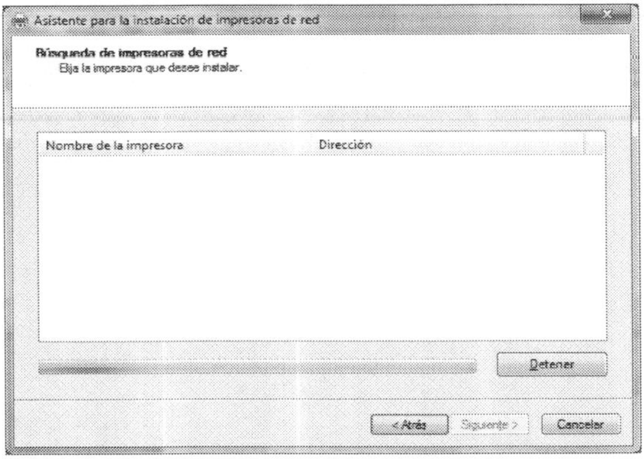

Figura 5.17

5.1.6 Agregar una impresora utilizando un puerto

Para agregar automáticamente impresoras a un servidor de impresión utilizando un puerto existente se tendrá en cuenta lo siguiente:

1. Abra *Administración de impresión*.

2. En el panel izquierdo, haga clic en *Servidores de impresión*, haga clic en el servidor de impresión correspondiente, haga

clic con el botón secundario en *Impresoras* y, por último, haga clic en *Agregar impresora* (Figura 5.15).

3. En la página *Instalación de impresora* del *Asistente para la instalación de impresoras de red*, haga clic en *Agregar una nueva impresora usando un puerto existente* (Figura 5.18) y, a continuación, haga clic en *Siguiente*.

4. Especifique el controlador que se va a instalar para la impresora (Figura 5.19). Haga clic en *Siguiente*.

5. En la Figura 5.20 elija si la impresora se va a compartir y haga clic en *Siguiente*.

6. En la Figura 5.21 se observan las características de la impresora elegida. Haga clic en Siguiente para realizar la instalación. Finalmente aparece la pantalla de finalización del asistente (Figura 5.22).

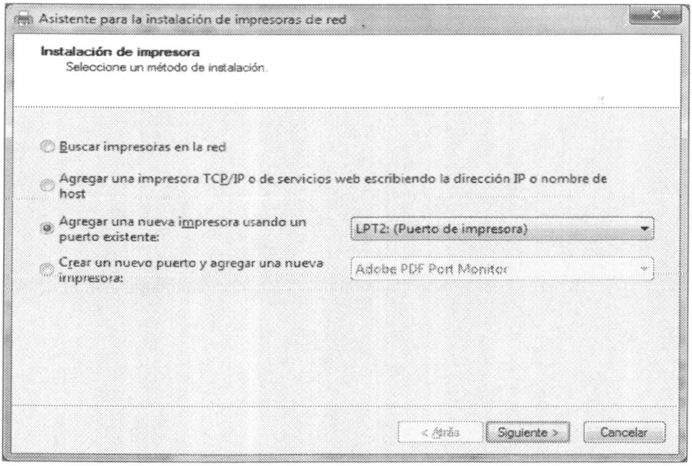

Figura 5.18

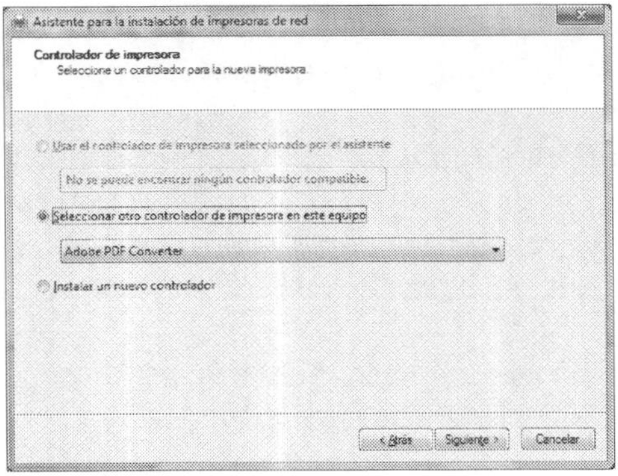

Figura 5.19

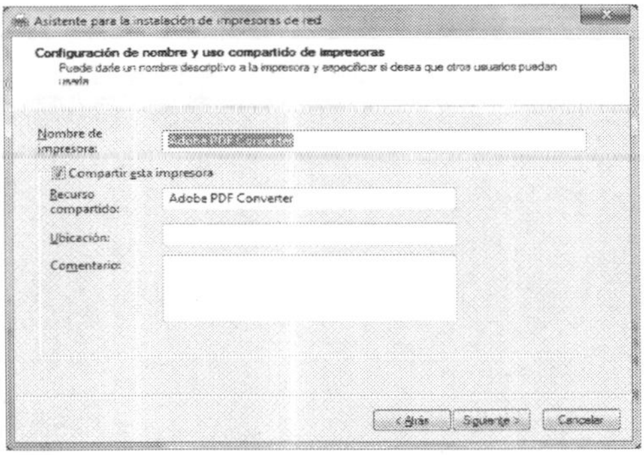

Figura 5.20

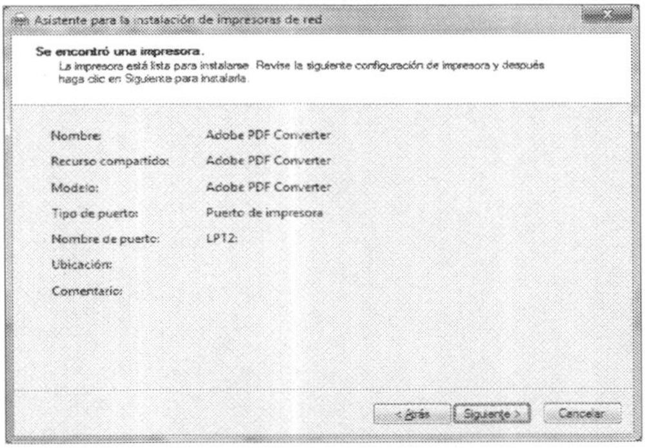

Figura 5.21

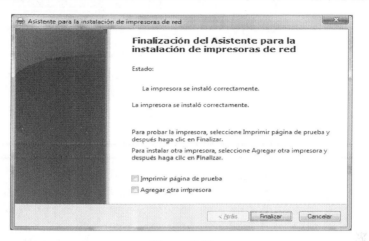

Figura 5.22

5.1.7 Actualización y administración de controladores de impresora

Para admitir equipos cliente que usen arquitecturas de procesador diferentes que la del servidor de impresión, debe instalar controladores adicionales. Por ejemplo, si su servidor de impresión ejecuta una versión de Windows de 64 bits y desea admitir equipos cliente con versiones de Windows de 32 bits, debe agregar controladores basados en x86 a cada impresora.

Para agregar controladores de impresora de cliente al servidor de impresión se tendrá en cuenta lo siguiente:

1. Abra Administración de impresión.

2. En el panel izquierdo, haga clic en *Servidores de impresión*, haga clic en el servidor de impresión correspondiente y, a continuación, haga clic en *Impresoras*.

3. En el panel central, haga clic con el botón secundario en la impresora a la que desea agregar controladores de impresora adicionales y, a continuación, haga clic en *Administrar uso compartido*.

4. Haga clic en *Controladores adicionales*. Aparecerá el cuadro de diálogo *Controladores adicionales*.

5. Active la casilla de la arquitectura de procesador para la cual desea agregar controladores. Por ejemplo, si el servidor de impresión ejecuta una edición de Windows basada en x64, active la casilla x86 para instalar los controladores de impresora de la versión de 32 bits en los equipos cliente con versiones de Windows de 32 bits.

6. Si el servidor de impresión no tiene los controladores de impresora adecuados en su almacén de controladores, Windows le solicitará la ubicación de los archivos del controlador. Descargue y extraiga los archivos del controlador adecuado y, a continuación, en el cuadro de diálogo que aparece, especifique la ruta de acceso del archivo *.inf* del controlador.

Para actualizar o cambiar controladores de una impresora se tendrá en cuenta lo siguiente:

1. Abra Administración de impresión.

2. En el panel izquierdo, haga clic en *Servidores de impresión*, haga clic en el servidor de impresión correspondiente y, a continuación, haga clic en *Impresoras*.

3. En el panel central, haga clic con el botón secundario en la impresora que usa el controlador que desea cambiar o actualizar y, a continuación, haga clic en *Propiedades*.

4. Haga clic en la ficha *Opciones avanzadas*.

5. Seleccione un nuevo controlador en el cuadro *Controlador* o haga clic en *Controlador nuevo* para instalar un nuevo controlador de impresora.

Para quitar controladores de impresora se tendrá en cuenta lo siguiente:

1. Abra Administración de impresión.

2. En el panel izquierdo, haga clic en *Servidores de impresión*, haga clic en el servidor de impresión correspondiente y, a continuación, haga clic en *Impresoras*.

3. En el panel central, haga clic con el botón secundario en las impresoras que usan el controlador que desea eliminar o sustituya el controlador usado por cada impresora por otro controlador.

4. En el panel izquierdo, haga clic en *Servidores de impresión*, haga clic en el servidor de impresión correspondiente y, a continuación, haga clic en *Controladores*.

5. En el panel central, haga clic con el botón secundario en el controlador y realice uno de los siguientes pasos:

   o Para eliminar únicamente los archivos de controlador instalados, haga clic en *Eliminar*.

   o Para quitar el paquete del controlador del almacén de controladores y eliminar completamente el controlador del equipo, haga clic en *Quitar el paquete de controladores*.

5.1.8 Permisos para servidores de impresión

Para establecer permisos para servidores de impresión se tendrá en cuenta lo siguiente:

1. Abra Administración de impresión.

2. En el panel izquierdo, haga clic en *Servidores de impresión*, haga clic con el botón secundario en el servidor de impresión correspondiente y, a continuación, haga clic en *Propiedades*.

3. En la ficha *Seguridad*, en *Nombres de grupos o usuarios*, haga clic en el usuario o grupo para el que desee establecer permisos.

4. En *Permisos para <user or group name>*, active las casillas *Permitir* o *Denegar* de los permisos que se muestran según sea necesario.

5. Para editar *Permisos especiales*, haga clic en *Opciones avanzadas*.

6. En la ficha *Permisos*, haga clic en un grupo de usuarios y, a continuación, haga clic en *Editar*.

7. En el cuadro de diálogo *Entrada de permiso*, active las casillas *Permitir* o *Denegar* para los permisos que desee editar.

5.2 ADMINISTRACIÓN DE IMPRESIÓN DESDE EL PANEL DE CONTROL

Es posible imprimir casi todos los documentos, imágenes, páginas Web o archivos que se pueden ver en el equipo. A la hora de imprimir es necesario tener conocimientos sobre los tipos de impresora, la manera de conectar una impresora al equipo y las opciones de impresión más comunes. Las impresoras se clasifican según la manera en la que reproducen texto y gráficos en papel. Cada tipo de impresora ofrece diferentes ventajas. Las impresoras de inyección de tinta imprimen colocando pequeños puntos de tinta en una página para reproducir texto o gráficos y pueden imprimir con tinta negra o de color. Aunque los cartuchos de tinta se deben reemplazar periódicamente, las impresoras de inyección de tinta se adquieren a menudo para uso doméstico, ya que pueden ser relativamente económicas. Algunas impresoras de inyección de tinta pueden reproducir imágenes de alta calidad y gráficos detallados. Las impresoras láser usan tóner para reproducir texto y gráficos en papel y pueden imprimir con tinta negra o de color. Las impresoras de inyección de tinta o láser que también permiten enviar documentos por fax, fotocopiarlos o digitalizarlos se denominan impresoras multifunción. Una sola impresora multifunción puede ser más conveniente para conectarla al equipo que varios dispositivos.

Existen impresoras con cable e inalámbricas. Una impresora con cable es cualquier impresora que se conecta a un equipo usando un cable y un puerto del equipo. La mayoría de las impresoras usan un cable bus serie universal (USB). Cuando conecte una impresora con cable al equipo y la encienda, Windows intentará instalarla automáticamente. Si Windows no puede detectar la impresora, puede buscarla y agregarla manualmente. Una impresora inalámbrica es cualquier impresora que se conecta a un equipo usando Bluetooth u otra tecnología inalámbrica, como 802.11a, 802.11b o 802.11g. La tecnología Bluetooth usa transmisiones de radio para que una impresora se comunique con el equipo en una distancia corta. Para conectar una impresora Bluetooth, tiene que agregar un adaptador de Bluetooth al equipo. La mayoría de los adaptadores de Bluetooth se conectan a un puerto USB del equipo. Cuando conecta el adaptador y enciende la impresora Bluetooth, Windows intentará instalarla automáticamente o le pedirá que la instale. Si Windows no puede detectar la impresora, puede buscarla y agregarla manualmente. Para conectar una impresora usando una tecnología inalámbrica que no sea Bluetooth, el equipo y la impresora deben estar conectados primero a una red inalámbrica. Consulte la información incluida con la impresora para ver si tiene un adaptador de red inalámbrico. De no ser así, tiene que agregar uno para poder conectar la impresora a la red inalámbrica. Para evitar interferencias entre una impresora inalámbrica y el equipo, intente no colocar teléfonos inalámbricos u otros dispositivos de este tipo cerca de la impresora.

Después de agregar una impresora al sistema, es conveniente imprimir una página de prueba para asegurarse de que funciona correctamente.

Una página de prueba imprime texto y gráficos de ejemplo en color o en blanco y negro, según el tipo de impresora que esté usando. Si agrega sólo una impresora, se convierte en la predeterminada. Esto significa que se seleccionará la impresora automáticamente cuando imprima un documento o un archivo. Si agrega más de una impresora, puede elegir qué impresora se va a usar de manera predeterminada.

5.2.1 Agregar o quitar una impresora

Para imprimir, deberá conectar una impresora directamente al equipo (denominada impresora local), o crear una conexión con una red o impresora compartida.

Para agregar una impresora de red, Bluetooth o inalámbrica se tendrá en cuenta lo siguiente:

1. Haga clic en *Inicio* → *Panel de control* → *Hardware y sonido* → *Dispositivos e impresoras* (Figura 5.23) para abrir la pantalla *Impresoras* (Figura 5.24).

2. Haga clic en *Agregar una impresora*.

3. En el Asistente para agregar impresoras, seleccione *Agregar una impresora de red, inalámbrica o Bluetooth* (Figura 5.25) y haga clic en *Siguiente*.

4. En la lista de impresoras disponibles, seleccione la que desee usar y haga clic en *Siguiente*.

5. Si se le solicita, instale el controlador de impresora en el equipo. Si se le solicita una contraseña de administrador o una confirmación, escriba la contraseña o proporcione la confirmación.

6. Complete los pasos adicionales del asistente y, a continuación, haga clic en *Finalizar*.

Las impresoras disponibles pueden incluir todas las impresoras de una red, como las impresoras Bluetooth e inalámbricas o las impresoras que estén conectadas a otro equipo y estén compartidas en la red. Asegúrese de que tiene permiso para usar estas impresoras antes de agregarlas al equipo. Es recomendable imprimir una página de prueba para comprobar si la impresora funciona correctamente.

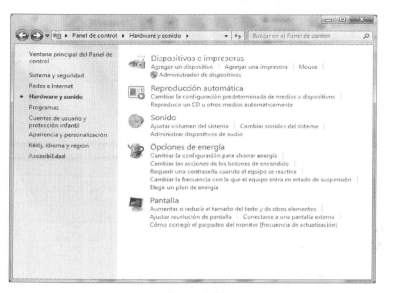

Figura 5.23

Figura 5.24

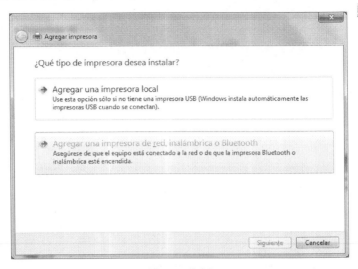

Figura 5.25

Para *agregar una impresora local*, conecte la impresora al equipo. Windows instalará automáticamente la impresora. Si Windows no puede instalarla, o bien si ha quitado la impresora y desea volver a agregarla, siga estos pasos:

1. Haga clic en *Inicio → Panel de control → Hardware y sonido → Dispositivos e impresoras* (Figura 5.23) para abrir la pantalla *Impresoras* (Figura 5.24).

2. Haga clic en *Agregar una impresora*. En el Asistente para agregar impresoras, seleccione *Agregar una impresora local* (Figura 5.25).

3. En la página *Elegir un puerto de impresora*, asegúrese de que estén seleccionados el puerto de impresora recomendado y el botón de opción *Usar un puerto existente* y, a continuación, haga clic en *Siguiente*.

4. En la página *Instalar el controlador de impresora*, seleccione el fabricante de la impresora y el nombre de la misma y, a

continuación, haga clic en Siguiente. Si la impresora no está en la lista y tiene el disco de instalación de la impresión, haga clic en *Utilizar disco* y, a continuación, busque la ubicación en el disco en el que están almacenados los controladores de impresora. Si la impresora no está en la lista, y no tiene el disco de instalación de la impresora, haga clic en Windows Update y, a continuación espere mientras Windows comprueba los paquetes de software de controlador disponibles. Cuando aparezca una nueva lista de fabricantes e impresoras, seleccione los elementos adecuados de cada lista para la impresora.

5. Complete los pasos adicionales del asistente y, a continuación, haga clic en *Finalizar*. Es recomendable imprimir una página de prueba para comprobar si la impresora funciona correctamente.

Para quitar una impresora se tendrá en cuenta lo siguiente:

1. Haga clic en *Inicio → Panel de control → Hardware y sonido → Dispositivos e impresoras* (Figura 5.23) para abrir la pantalla *Impresoras* (Figura 5.24).

2. Haga clic con el botón secundario del ratón en la impresora que desee quitar y, después, haga clic en *Quitar dispositivo* (Figura 5.26). Si no puede eliminar la impresora, vuelva a hacer clic con el botón secundario del ratón en la impresora, haga clic en *Ejecutar como administrador* y, a continuación, haga clic en *Quitar dispositivo.* Si se le solicita una contraseña de administrador o una confirmación, escriba la contraseña o proporcione la confirmación. No puede quitar una impresora si tiene elementos en la cola de impresión. Si hay elementos que esperan imprimirse mientras intenta quitar una impresora, Windows esperará a que la impresión haya finalizado y entonces quitará la impresora. Si tiene permiso para administrar documentos en la impresora, también puede cancelar todos los trabajos de impresión y, a continuación, intentar quitar de nuevo la impresora.

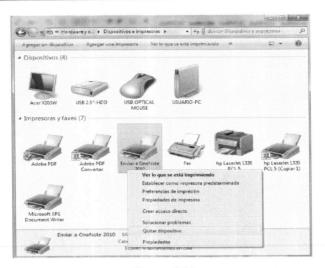

Figura 5.26

5.2.2 Imprimir un documento

Para imprimir un documento ábralo con el programa que lo
ha generado y en el menú *Archivo* del programa haga clic en
Imprimir. Aparecerá el cuadro de diálogo *Imprimir* de la Figura 5.27
desde el que se gobiernan las características de impresión.

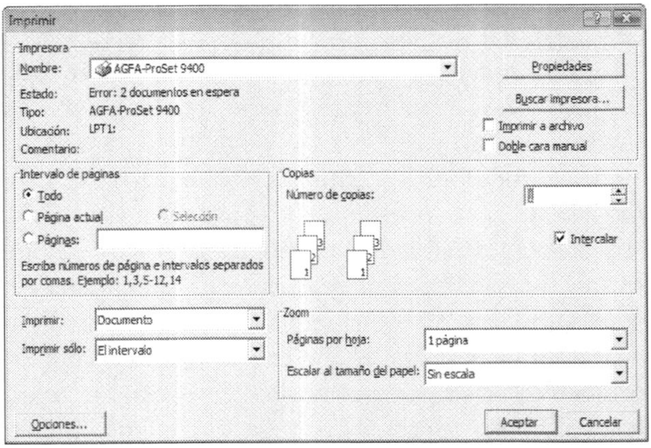

Figura 5.27

Respecto de las opciones de la Figura 5.27, se tendrá en cuenta lo siguiente:

- Para almacenar un documento como archivo en lugar de enviarlo a la impresora, active la casilla de verificación *Imprimir a un archivo* en el cuadro de diálogo *Imprimir*.

- En el campo *Nombre* se puede elegir la impresora adecuada para realizar la impresión de entre todas las instaladas en el equipo actualmente. En el campo *Intervalo de páginas*, se puede elegir para imprimir *Todo* el documento, sólo la *Página actual* o un grupo determinado de *Páginas*. En el campo *Copias*, se elige el número de copias que se van a imprimir pudiéndose *Intercalar* o no las distintas copias. Los botones *Opciones* (Figura 5.28) y *Propiedades* (Figura 5.29) tienen la finalidad que su nombre indica referida a la impresora actual.

- Para tener acceso fácilmente a la impresora, puede crear un acceso directo a ella en el escritorio. Puede hacer doble clic en el acceso directo para abrir la cola de impresión y ver los documentos que esperan para imprimirse.

- Mientras se imprime un documento, aparece un icono de impresora junto al reloj en el área de estado de la barra de tareas. Cuando dicho icono desaparece, significa que ha finalizado la impresión del documento.

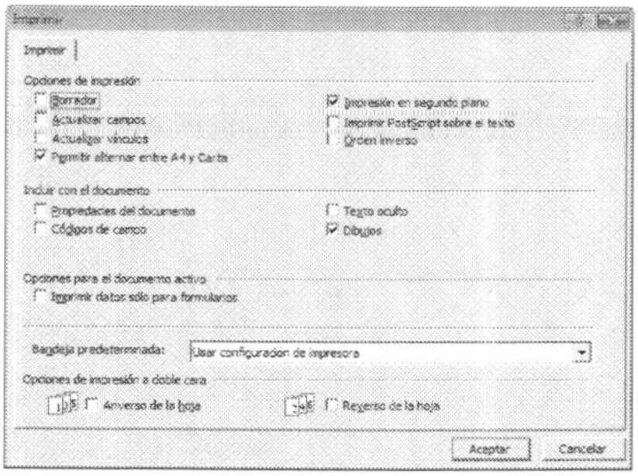

Figura 5.28 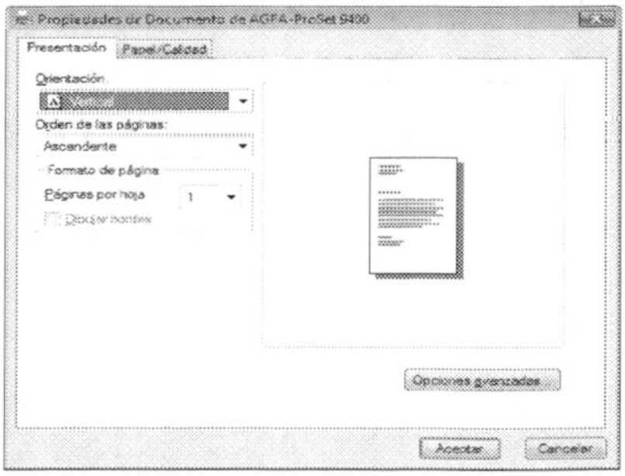   *Figura 5.29*

No obstante, la forma más rápida de imprimir un documento o un archivo es imprimirlo directamente con Windows. No es necesario abrir el archivo, elegir opciones de impresión ni cambiar la configuración de la impresora. Basta con buscar el archivo que se desea imprimir, hacer clic con el botón secundario del ratón en el archivo y, a continuación, hacer clic en *Imprimir*. Windows imprimirá el archivo con la configuración de la impresora predeterminada.

5.2.3 Establecer una impresora como predeterminada

Para especificar la impresora predeterminada haga clic en *Inicio* → *Panel de control* → *Hardware y sonido* → Dispositivos e impresoras y abra *Impresoras*. Si tiene varias impresoras instaladas en el equipo, haga clic con el botón secundario del ratón en la que desee utilizar como la impresora predeterminada y, después, haga clic en *Establecer como impresora predeterminada* (Figura 5.30). Aparecerá una marca de verificación junto al icono de la impresora en la carpeta *Impresoras*. Una marca de verificación junto a la opción de menú *Establecer como impresora predeterminada* indica que ha seleccionado la impresora predeterminada. En muchos de los programas basados en Windows, cuando haga clic en la opción *Imprimir* del menú *Archivo* se utilizará la impresora predeterminada, a menos que especifique otra.

5.2.4 Buscar e instalar los controladores de impresora

A la hora de instalar una impresora pueden surgir problemas, e incluso para una impresora ya agregada puede ser necesario instalar o actualizar el controlador para que sea compatible con la versión de Windows que se ejecuta. Algunos programas de software de controlador vienen con Windows, están disponibles a través de Windows Update o se guardan en el equipo durante el proceso de instalación del hardware y están listos para su instalación. En otros casos, deberá instalar los controladores con un CD o DVD suministrado por el fabricante de la impresora. Si el controlador que necesita ya no está almacenado en el equipo o si no tiene un CD o DVD, intente buscarlo en el sitio Web del fabricante de la impresora para ver si lo puede descargar e instalar desde allí.

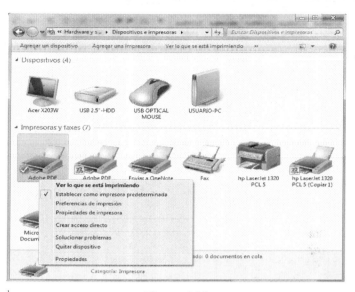

Figura 5.30

Para instalar o actualizar controladores de impresora mediante la carpeta Impresoras se tendrá en cuenta lo siguiente:

1. Haga clic en *Inicio* → *Panel de control* → *Hardware y sonido* → *Dispositivos e impresoras* (Figura 5.23) para abrir la pantalla *Impresoras* (Figura 5.24).

2. Haga clic con el botón secundario del ratón en la impresora para la que necesita nuevo software de controlador y, a continuación, haga clic en *Propiedades de impresión* (Figura 5.30). Si se le solicita una contraseña de administrador o una confirmación, escriba la contraseña o proporcione la confirmación.

3. Haga clic en la ficha *Opciones avanzadas* (Figura 5.31) y elija *Controlador nuevo*. Después complete los pasos del *Asistente para agregar controladores de impresora* (Figura 5.32) que comienzan eligiendo el controlador (Figura 5.33).

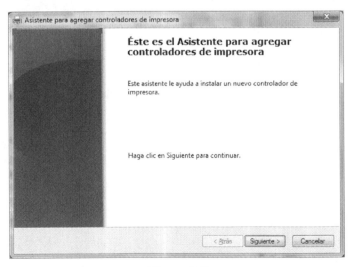

Figura 5.31

Figura 5.32

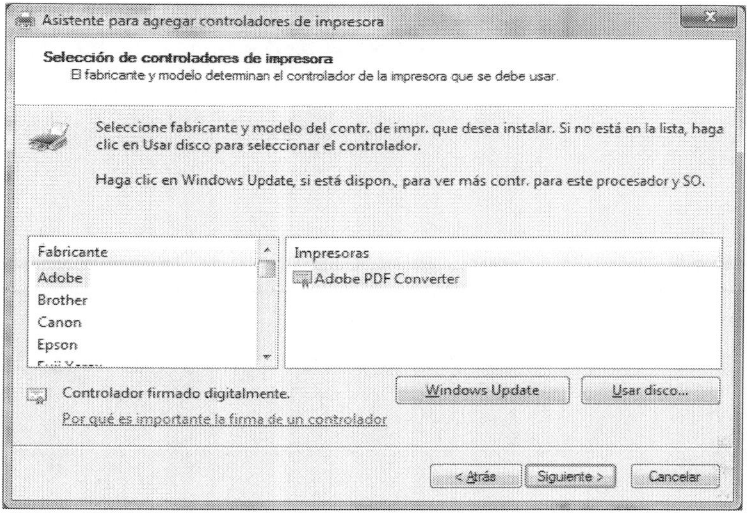

Figura 5.33

Para descargar e instalar controladores de impresora desde el sitio Web de un fabricante vaya al sitio Web del fabricante de la impresora y busque el software del controlador de impresora compatible con la versión de Windows que está utilizando. Siga las instrucciones del sitio Web para descargar e instalar el controlador.

5.2.5 Imprimir una página de prueba

Para imprimir una página de prueba haga clic en *Inicio* → *Panel de control* → *Hardware y sonido* → *Dispositivos e impresoras* y abra *Impresoras*. A continuación haga clic con el botón secundario del ratón en la impresora que desea comprobar y elija *Propiedades de impresión*. En la ficha *General*, haga clic en *Imprimir página de prueba* (Figura 5.34). Se obtiene la pantalla de la Figura 5.35. Haga clic en *Aceptar* si la página de prueba se imprime correctamente. Si no se imprime correctamente, haga clic en *Solucionar problemas* en la Figura 5.35 para abrir *Solucionar problemas de impresión* y que le ayude a resolver el problema. Para imprimir una página de prueba, debe disponer del permiso Imprimir. También puede imprimir una página de prueba cuando instale por primera vez una impresora.

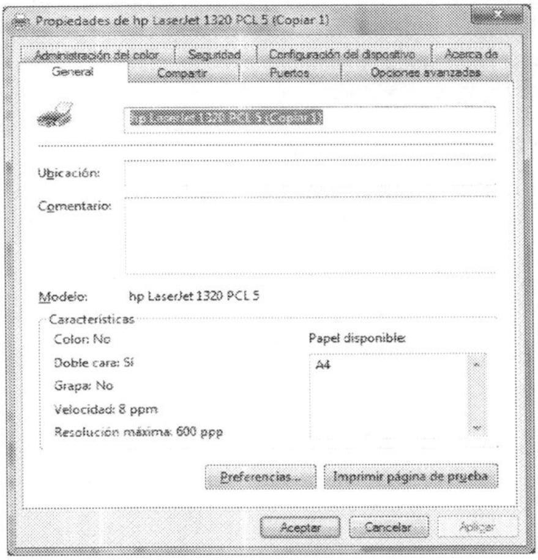

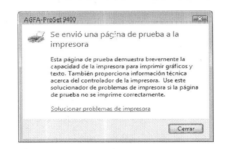

Figura 5.34

Figura 5.35

5.2.6 Interrumpir o reanudar la impresión de un documento

Para interrumpir o reanudar la impresión de un documento haga clic en *Inicio* → *Panel de control* → *Hardware y sonido* → *Dispositivos e impresoras* y abra *Impresoras*. Haga doble clic en la impresora que utilice y se abrirá la cola de impresión (Figura 5.36). A continuación, haga clic con el botón secundario del ratón en el documento cuya impresión desea pausar o reanudar (Figura 5.37). Con la misma finalidad puede también utilizar las opciones del menú *Documento* de la Figura 5.38.

Para pausar la impresión, haga clic en *Pausar* y el documento no se imprimirá hasta que reanude la impresión. Para reanudar la impresión, haga clic en *Reanudar*. El documento comenzará a imprimirse. No obstante, si hay documentos en espera de imprimirse cuya prioridad es mayor, éstos se imprimirán primero.

De forma predeterminada, todos los usuarios pueden detener, reanudar, reiniciar y cancelar la impresión de sus documentos. Sin embargo, para administrar los documentos que imprimen los demás usuarios, debe tener el permiso Administrar documentos. En general, una vez que haya comenzado la impresión de un documento, terminará de imprimirse aunque pause la impresión.

También se pueden utilizar las opciones del menú *Impresora* (Figura 5.39) que permiten establecer la impresora como determinada, definir las preferencias de impresión, reanudar la impresión, cancelar todos los documentos a imprimir actualmente, compartir la impresora, usar la impresora sin conexión, ver las propiedades de la impresora y cerrar la impresión. El mismo menú se obtiene haciendo clic con el botón derecho del ratón en cualquier zona en blanco de la pantalla de impresión (Figura 5.40).

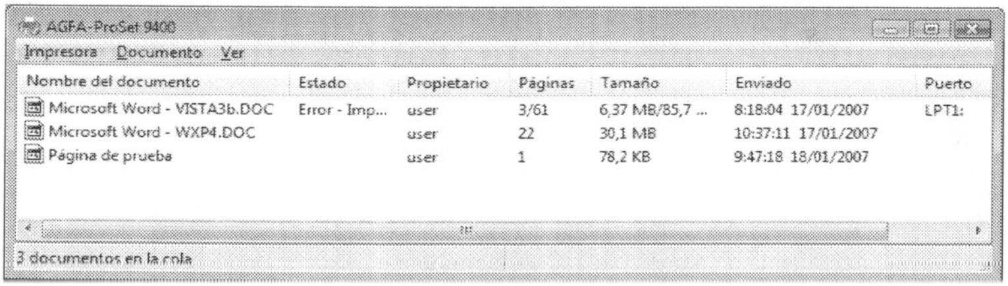

Figura 5.36

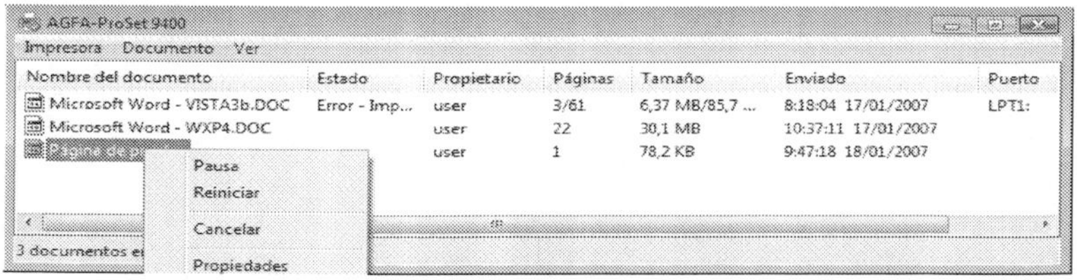

Figura 5.37

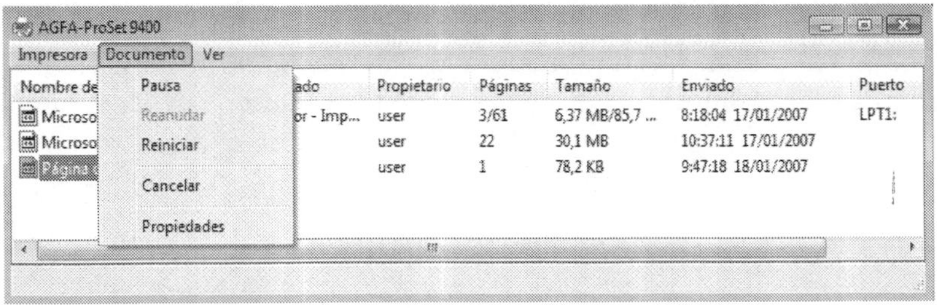

Figura 5.38

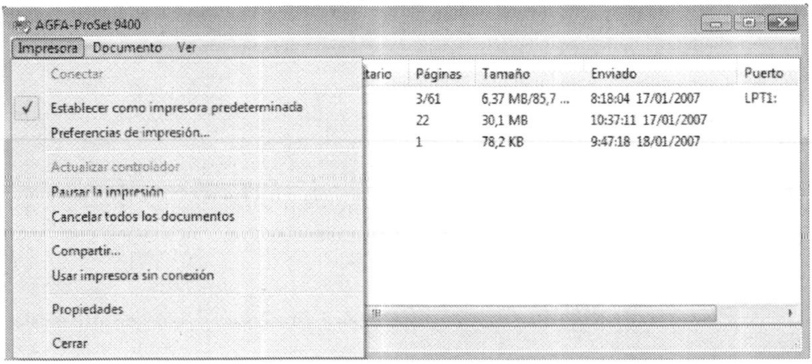

Figura 5.39

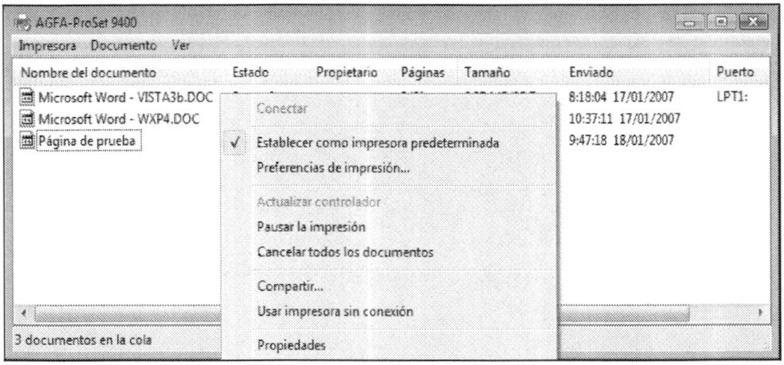

Figura 5.40

5.2.7 Cancelar la impresión de un documento

Para cancelar la impresión de un documento haga clic en *Inicio→Panel de control → Hardware y sonido → Dispositivos e impresoras* y abra *Impresoras*. Haga doble clic en la impresora que utilice y se abrirá la cola de impresión (Figura 5.36). A continuación haga clic con el botón secundario del ratón en el documento cuya impresión desea detener y, después, haga clic en *Cancelar* (Figura 5.37). El estado de la impresora aparecerá con el mensaje temporal *Eliminando* (Figura 5.41). Al desaparecer el mensaje, también desaparece el documento de la cola, con lo que la impresión queda cancelada. De forma predeterminada, todos los usuarios pueden detener, reanudar, reiniciar y cancelar la impresión de sus documentos. Sin embargo, para administrar los documentos que imprimen los demás usuarios, debe tener el permiso Administrar documentos.

Para cancelar la impresión de varios documentos, mantenga presionada la tecla CTRL mientras hace clic en cada documento cuya impresión desea cancelar. Para abrir la cola de impresión, también puede hacer clic con el botón secundario del ratón en el icono de impresora que aparece en el área de estado de la barra de tareas.

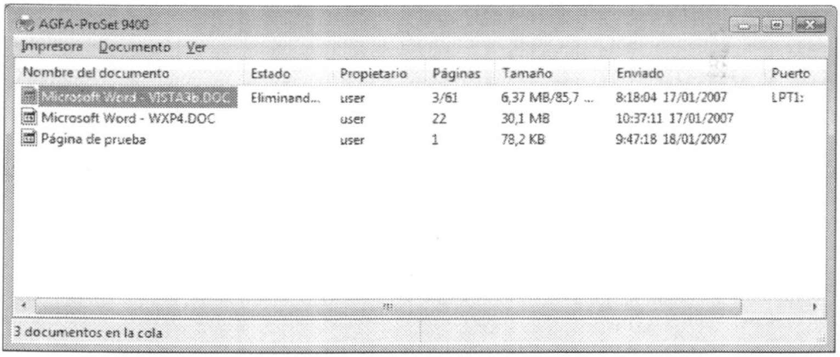

Figura 5.41

5.2.8 Reiniciar la impresión de un documento

Para reiniciar la impresión de un documento, haga clic en *Inicio→Panel de control → Hardware y sonido → Dispositivos e impresoras* y abra *Impresoras*. Haga doble clic en la impresora que utilice y se abrirá la cola de impresión (Figura 5.36). A continuación haga clic con el botón secundario del ratón en el documento cuya impresión desea reiniciar y, después, haga clic en *Reiniciar* (Figura 5.42). Cuando reinicie un documento, empezará a imprimirse de nuevo desde el principio. No obstante, si hay documentos cuya prioridad es mayor en la cola de impresión, éstos se imprimirán primero.

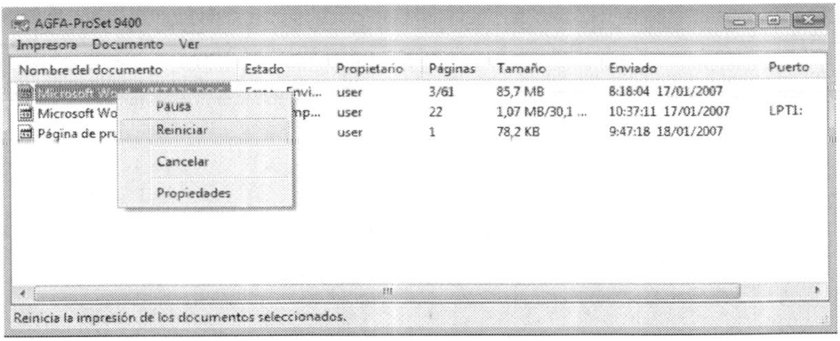

Figura 5.42

5.2.9 Compartir la impresora

Para compartir la impresora haga clic en *Inicio → Panel de control → Hardware y sonido → Dispositivos e impresoras* y abra *Impresora*. Haga clic con el botón secundario del ratón en la impresora que desee compartir y, después, haga clic en *Propiedades de impresión* (Figura 5.43). En la ficha *Compartir* (Figura 5.44), haga clic en *Compartir impresora* y, después, escriba un nombre para la impresora compartida. Si comparte la impresora con usuarios que utilizan diferentes componentes de hardware o sistemas operativos, haga clic en *Controladores adicionales*. Haga clic en el entorno y el sistema operativo para los demás equipos y, después, haga clic en *Aceptar* para instalar los controladores adicionales.

Si ha iniciado una sesión en un dominio de Windows Vista, puede poner la impresora a disposición de otros usuarios del dominio haciendo clic en *Enumerar en el Directorio* para publicar la impresora en el Directorio. Finalmente, haga clic en *Aceptar*, o si ha instalado controladores adicionales, haga clic en *Cerrar*. La ficha *Compartir* también se puede abrir seleccionando la opción *Compartir esta impresora* en el menú *Tareas de impresión*.

Si tiene una impresora conectada al equipo, puede compartirla con cualquier usuario de la misma red. No importa qué tipo de impresora sea, siempre que la impresora esté instalada en el equipo y directamente conectada con un cable bus serie universal (USB) u otro tipo de cable de impresora. Quienquiera con que elija compartir la impresora podrá utilizarla para imprimir, siempre que pueda encontrar el equipo en la red.

Figura 5.43

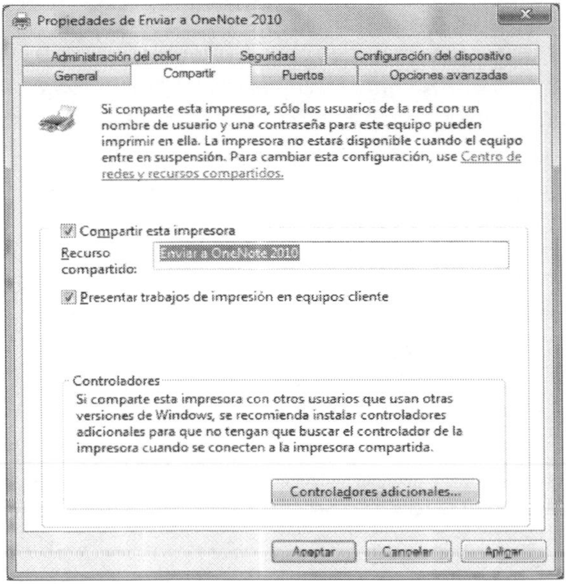

Figura 5.44

5.3 ACCESOS DIRECTOS PARA ARCHIVOS Y CARPETAS

Un acceso directo es un vínculo a un archivo o programa representado por un icono de modo que si hace doble en un acceso directo, se abre el archivo o el programa. Es una excelente manera de conservar archivos utilizados a menudo en una ubicación única, de fácil acceso, como una carpeta o el escritorio. El aspecto de los accesos directos es diferente al de los archivos normales. Los iconos de acceso directo tienen una flecha en la esquina inferior izquierda (Figura 5.45).

Figura 5.45

Es posible crear un acceso directo para casi cualquier tipo de archivo. Además de los documentos, las imágenes, la música, las carpetas y los programas, puede crear accesos directos para vínculos a sitios Web. También se puede copiar o mover un acceso directo a una nueva ubicación arrastrándolo con el ratón al lugar correspondiente.

Para crear un acceso directo se tendrá en cuenta lo siguiente:

1. Abra la ubicación que contiene el elemento para el que desea crear un acceso directo.

2. Haga clic con el botón secundario en el elemento y, a continuación, haga clic en *Crear acceso directo* (Figura 5.46). El nuevo acceso directo aparecerá en la misma ubicación que el elemento original.

3. Arrastre el nuevo acceso directo hasta la ubicación que desee. De esta forma puede situarse el acceso directo en la carpeta *Menú Inicio* o en la carpeta *Escritorio*, que son las dos ubicaciones típicas de los accesos directos.

También puede mover el nuevo acceso directo a la ubicación que desee cortando y pegando. Para ello, haga clic con el botón secundario en el acceso directo y, a continuación, haga clic en *Cortar*. A continuación, haga clic con el botón secundario dentro de la ubicación a la que desea mover el acceso directo y, a continuación, haga clic en *Pegar*. El acceso directo aparece en la ubicación deseada.

Para *eliminar un acceso directo* haga clic con el botón secundario en el acceso que desea eliminar y, a continuación, haga clic en *Eliminar* (Figura 5.47). Si se le solicita una contraseña de administrador o una confirmación, escriba la contraseña o proporcione la confirmación.

Si elimina el archivo original, el acceso directo ya no funcionará, por lo que debería eliminar también el acceso directo. Si elimina el acceso directo, el archivo original no se verá afectado. Si hace doble clic en un acceso directo y aparece el cuadro de diálogo

Falta el icono de acceso directo, significa que se ha movido o eliminado el archivo original. Si sabe dónde se encuentra ahora el archivo original, puede hacer clic en *Examinar* y especifique la nueva ubicación. Puede cambiar el nombre de un acceso directo de la misma manera que cambia el nombre de cualquier otro tipo de archivo. Haga clic con el botón secundario en el acceso directo y, a continuación, haga clic en *Cambiar nombre*. Escriba un nombre nuevo para el acceso directo y, a continuación, presione ENTRAR.

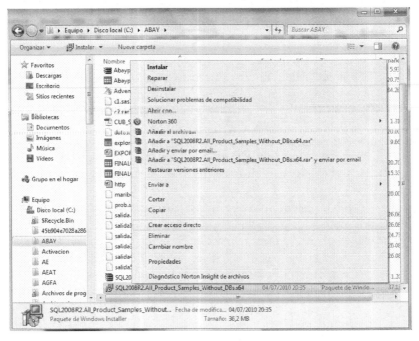

Figura 5.46

Para *cambiar el icono de un acceso directo*, haga clic con el botón secundario en el acceso directo y, a continuación, haga clic en *Propiedades* en la Figura 5.47. Haga clic en *Cambiar icono* en la Figura 5.48 y elija un nuevo icono de la lista de la Figura 5.49. A continuación, haga clic en *Aceptar*. El acceso directo aparecerá con su nuevo icono.

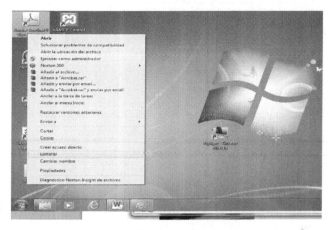

Figura 5.47

Los iconos de acceso directo incluyen pequeñas flechas para recordarle que son accesos directos. Esto hace más sencillo identificar si un icono es para un acceso directo o un archivo original de manera que no eliminará por error un archivo original cuando pretenda eliminar un acceso directo. El cuadro de diálogo *Propiedades de Acceso directo* de la Figura 5.48 incluye otras opciones que pueden hacer que el acceso directo deje de funcionar. Si cambia la información del archivo en el cuadro *Destino*, por ejemplo, el acceso directo ya no seleccionará el programa original.

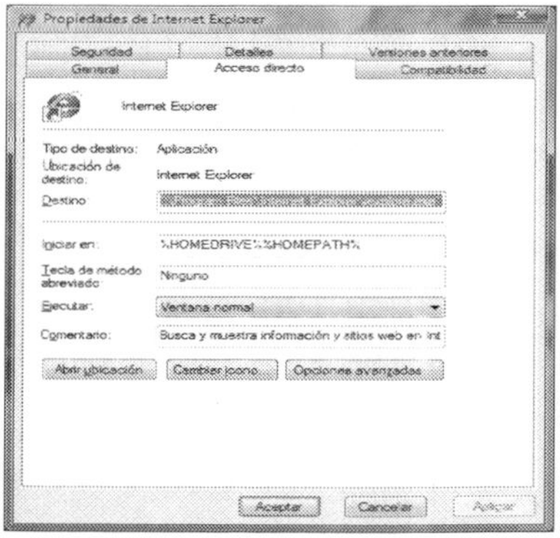

Figura 5.48   *Figura 5.49*

5.4 ACCESO DIRECTO RÁPIDO A UN ARCHIVO O CARPETA EN EL ESCRITORIO, MENÚ INICIO Y BARRA DE TAREAS. ANCLAR ACCESOS DIRECTOS

Para *agregar rápidamente un acceso directo de un archivo o carpeta al Escritorio*, se tendrá en cuenta lo siguiente:

1. Seleccione el archivo o carpeta mediante *Equipo* o mediante el Explorador de Windows.

2. Haga clic con el botón derecho del ratón sobre el icono del programa y seleccione *Enviar a → Escritorio (crear acceso directo)* según se indica en la Figura 5.50.

3. También se puede seelcionar el archivo del programa y utilizar *Archivo → Enviar a → Escritorio (crear acceso directo)* según se indica en la Figura 5.51 (después de activar con *Alt* la barra de herramientas). Al volver al escritorio, se observa la presencia del icono de acceso directo al programa (Figura 5.52).

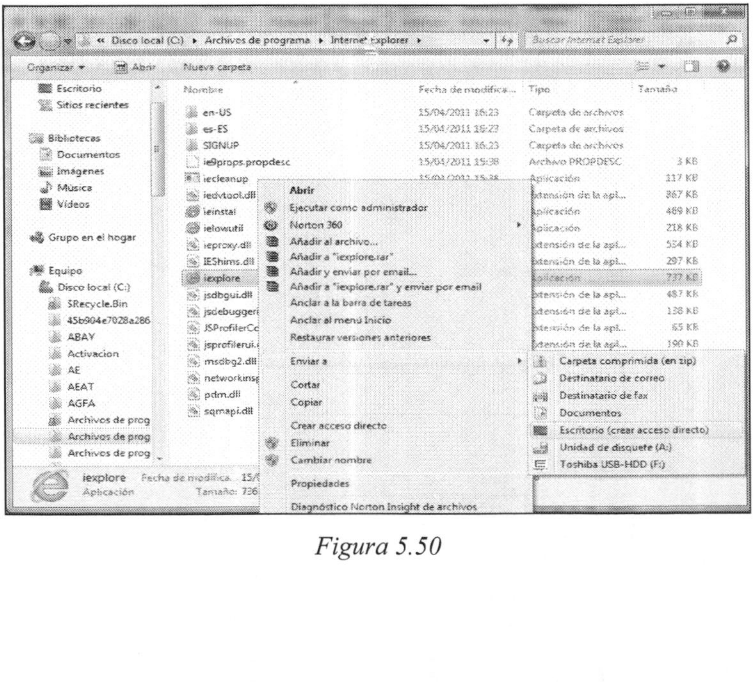

Figura 5.50

Figura 5.51

Figura 5.52

Para *agregar un acceso directo al menú Inicio o a la Barra de tareas* se tendrá en cuenta lo siguiente:

1. Seleccione el programa mediante *Equipo* o mediante el Explorador de Windows.

2. Haga clic con el botón derecho del ratón sobre el icono del programa y seleccione *Anclar al menú Inicio o Anclar a la barra de tareas* (Figura 5.50).

3. También se puede utilizar *Archivo → Anclar al menú Inicio* o *Archivo → Anclar a la barra de tareas* (Figura 5.51). Al volver al menú *Inicio,* se observa la presencia del icono de acceso directo al programa (Figura 5.53).

4. La opción *Agregar a Inicio rápido* de la Figura 5.51 sitúa el acceso directo para inicio rápido.

Figura 5.53   Figura 5.54

Para *eliminar un acceso directo a un programa desde el menú Inicio o la barra de tareas* se tendrá en cuenta lo siguiente:

1. Seleccione el programa mediante Equipo o mediante el Explorador de Windows. Haga clic con el botón derecho del ratón sobre el icono del programa y seleccione *Desanclar del menú Inicio* (Figura 5.54).

2. Alternativamente puede habilitar con *Alt* la barra de herramientas y utilizar *Archivo → Desanclar del menú Inicio o Archivo → Desanclar de la barra de tareas.* Alternativamente, se puede hacer clic con el botón derecho del ratón sobre el programa en el menú *Inicio* o en la *Barra de tareas* y elegir la opción *Desanclar del menú Inicio o Desanclar de la barra de tareas.*

5.5 ESTRUCTURA DE ARCHIVOS Y CARPETAS

Windows 7 incluye una serie de carpetas comunes que puede usar como puntos de partida para comenzar a organizar los archivos. A continuación, se incluye una lista de algunas de las carpetas comunes en las que puede almacenar archivos y carpetas:

- *Documentos.* Utilice esta carpeta para almacenar archivos de procesamiento de texto, hojas de cálculo, presentaciones y otros archivos comerciales.

- *Imágenes.* Utilice esta carpeta para almacenar todas las fotografías digitales, independientemente de si las obtiene de una cámara, un escáner o por correo electrónico de otras personas.

- *Música.* Utilice esta carpeta para almacenar toda su música digital, por ejemplo, canciones que copie de un CD de audio o descargue de Internet.

- *Vídeos.* Utilice esta carpeta para almacenar vídeos, tales como clips de su cámara digital, videograbadora o archivos de vídeo que descargue de Internet.

- *Descargas.* Utilice esta carpeta para almacenar archivos y programas que descargue de la Web.

Windows 7 agrupa adecuadamente estas carpetas en bibliotecas. Existen varios modos de buscar estas carpetas. El método más sencillo es hacer clic en el icono Bibliotecas de la barra de tareas [imagen] situado a la derecha del botón Inicio ⬤. Se obtiene la Figura 5.55. En el panel de la izquierda se puede acceder a todos los elementos del equipo. *Favoritos* permito el acceso a las carpetas Descargas, Escritorio y Sitios recientes. *Bibliotecas* permite el acceso a las carpetas Documentos, Imágenes, Música y Vídeo. *Grupo en el hogar* permite el acceso a los componentes del grupo en el hogar. *Equipo* permite el acceso a todas las unidades instaladas en el equipo. Red permite el acceso a todas las unidades de red.

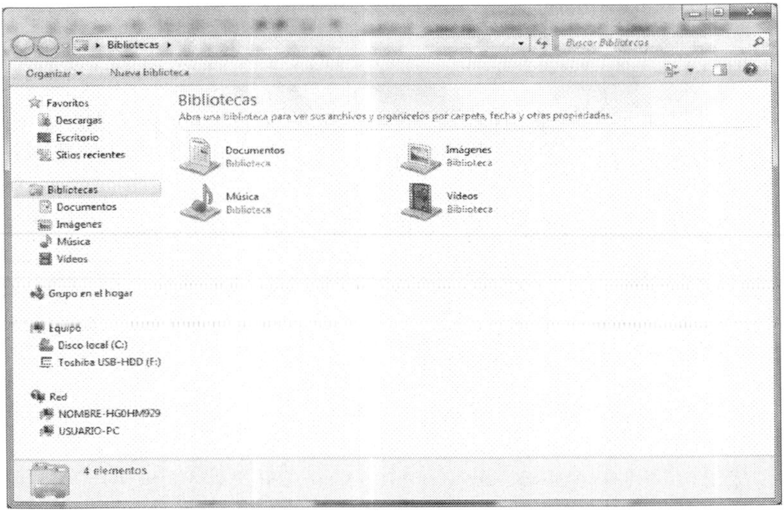

Figura 5.55

Capítulo 6

ADMINISTRACIÓN DE LA SEGURIDAD

6.1 OPCIONES DE SEGURIDAD DE WINDOWS

La seguridad es uno de los aspectos más reforzados en Windows 7. Windows puede ayudarle a garantizar que el equipo tenga el nivel de seguridad adecuado a través de unas características que se especifican a continuación:

- *Centro de actividades*. Permite asegurarse de que el firewall esté activado, de que el software antivirus esté actualizado y de que el equipo esté configurado para que las actualizaciones se instalen automáticamente.

- *Firewall de Windows*. Permite impedir que los piratas informáticos y el software no deseado obtengan acceso al equipo mediante Internet.

- *Windows Defender*. Su finalidad es impedir que el software malintencionado, como *spyware* o virus, infecte el equipo.

- *Copias de seguridad y restauración*. Es importante realizar copias de seguridad periódicas de los archivos y configuración para que, en caso de que se infecte por un virus o tenga algún tipo de error de hardware, pueda recuperar los archivos.

- *Cifrado*. Protege contra acceso no deseado a archivos y carpetas.

- *Permisos*. Elemento indispensable en el control de acceso a los elementos del sistema.

- *Windows Update*: Configure Windows Update para que descargue e instale automáticamente las últimas actualizaciones para el equipo.

Para acceder a las opciones de seguridad del equipo elija *Inicio → Panel de control → Sistema y seguridad*. Se obtiene la pantalla de opciones de seguridad de la Figura 6.1 que presenta varias opciones de seguridad.

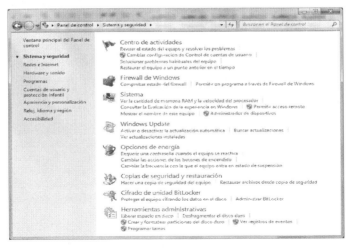

Figura 6.1

6.2 CENTRO DE ACTIVIDADES

Use el Centro de actividades para asegurarse de que el firewall esté activado, de que el software antivirus esté actualizado y de que el equipo esté configurado para que las actualizaciones se instalen automáticamente.

El Centro de actividades de Windows 7, sustituto en parte del Centro de seguridad de Windows Vista, es la herramienta esencial para proteger el equipo, comprobando el estado de varios aspectos esenciales de su seguridad, como la configuración del firewall, actualizaciones automáticas, configuración del software antimalware, configuración de seguridad de Internet y configuración del Control de cuentas de usuario. Si Windows detecta un problema con cualquiera de estos fundamentos de seguridad (por ejemplo, si su programa antivirus no está actualizado), el Centro de actividades muestra una *notificación de seguridad* y coloca un icono 🔳 en el área de notificación (Figura 6.2). Haga clic en la notificación o haga doble clic en el icono para abrir el Centro de actividades y obtener información sobre cómo solucionar el problema.

Figura 6.2

Para acceder al Centro de actividades de Windows se utiliza *Inicio → Panel de control → Sistema y seguridad* y se hace clic en *Centro de actividades*. Se obtiene la pantalla del Centro de actividades de la Figura 6.3 en la que se observan los posibles problemas en seguridad y mantenimiento. Dependiendo de los problemas existentes, esta pantalla es cambiante. Los mensajes de color rojo son siempre referidos a características de seguridad prioritarias.

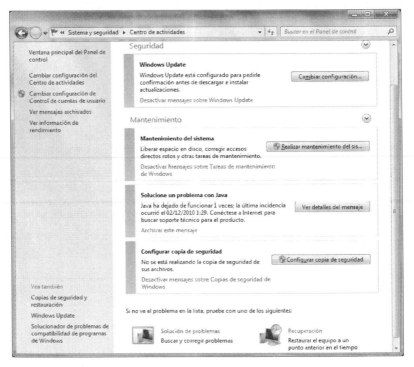

Figura 6.3

6.3 FIREWALL DE WINDOWS

Firewall de Windows o cortafuegos es una aplicación de seguridad de Windows 7 que tiene como finalidad impedir la recepción y el envío de programas dañinos a través de Internet, la red u otros medios de comunicación externa. Windows comprueba si el equipo está protegido por un firewall de software. Si el firewall está desactivado, el Centro de actividades muestra una notificación y coloca un icono en el área de notificación.

6.3.1 Activar y desactivar Firewall de Windows

Para activar y desactivar firewall de Windows se tendrá en cuenta lo siguiente:

1. Haga clic en *Inicio* → *Panel de control* → *Sistema y seguridad* → *Firewall de Windows* (Figura 6.4) para abrir Firewall de Windows (Figura 6.5).

2. Haga clic en *Activar o desactivar Firewall de Windows* en el panel de la izquierda de la Figura 6.6.

3. En la Figura 6-7 haga clic en *Activar Firewall de Windows,* tanto para red privada como pública. También es conveniente marcar las opciones *Notificarme cuando Firewall de Windows bloque un nuevo programa.* tanto para red privada como pública. A continuación, en *Aceptar.* Si desea que el firewall lo bloquee todo, incluidos los programas permitidos expresamente por el firewall, active la casilla *Bloquear todas las conexiones entrantes incluidos los de la lista de programas permitidos.* Si desea desactivar el Firewall de Windows haga clic en *Desactivar Firewall de Windows (no recomendado)* y, a continuación, en *Aceptar.*

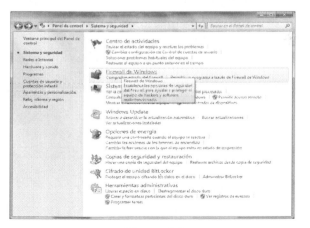

Figura 6.4

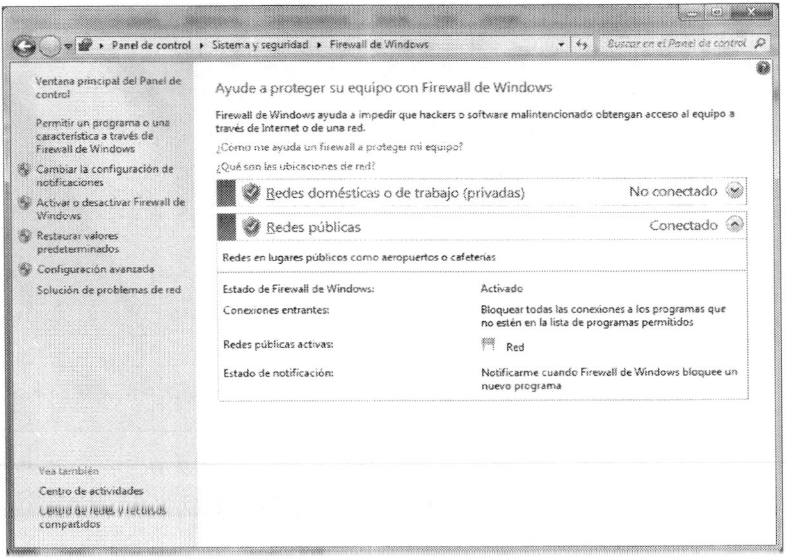

Figura 6.5

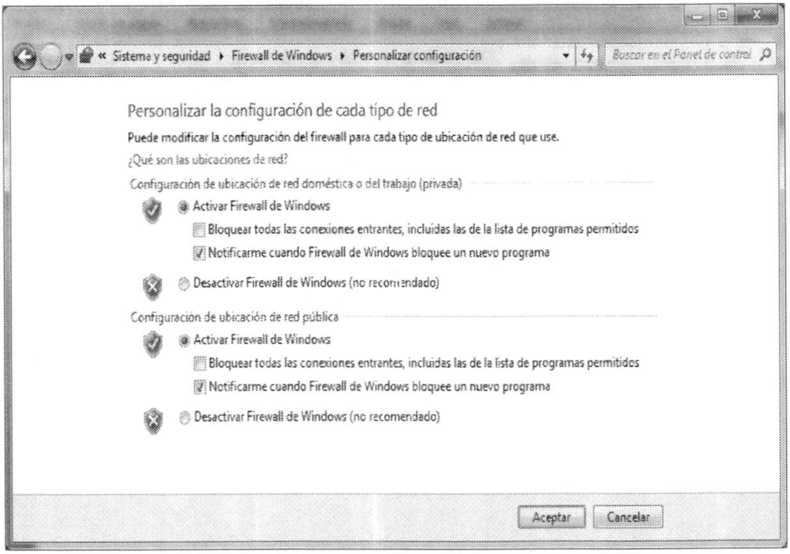

Figura 6.6

No debe desactivar firewall de Windows si no tiene habilitado otro firewall. La desactivación de Firewall de Windows podría provocar que el equipo (y la red, dado el caso) sean más vulnerables a los daños ocasionados por ataques de gusanos o piratas informáticos. Si el equipo está conectado a una red, es probable que la configuración de directivas de red le impida completar la activación y desactivación.

La opción de firewall activo está activada de forma predeterminada. Cuando firewall de Windows está activado, se bloquea la comunicación a través del firewall para la mayoría de los programas. Si desea desbloquear un programa, puede dejarlo pasar por el firewall, tal y como veremos posteriormente.

Cuando se bloquean todas las conexiones entrantes, se abortan todos los intentos de conexión al equipo no solicitados. Esta opción se usa cuando se necesita la máxima protección en un equipo; por ejemplo, al conectarse a una red pública en un hotel o un aeropuerto, o cuando hay gusano que se está extendiendo por los equipos a través de Internet. Con esta opción no se le avisa cuando firewall de Windows bloquea programas y se omiten los programas que figuran en la lista Excepciones. Si selecciona bloquear todas las conexiones entrantes, aún puede ver la mayoría de las páginas Web, así como enviar y recibir mensajes de correo electrónico y mensajes instantáneos.

Si algunas opciones de firewall no están disponibles y el equipo está conectado a un dominio, puede que el administrador controle esas opciones a través de la directiva de grupo.

6.3.2 Dejar pasar un programa en firewall de Windows

Si firewall de Windows está bloqueando un programa y desea permitir que ese programa se comunique a través del firewall, normalmente podrá hacerlo de la siguiente forma:

1. Haga clic en *Inicio* → *Panel de control* → *Sistema y seguridad* → *Firewall de Windows* (Figura 6.4).

2. En el panel izquierdo de la Figura 6.5 haga clic en *Permitir un programa o una característica a través de Firewall de Windows*.

3. En la lista *Programas y características permitidas*, asegúrese de que la casilla relativa al programa a permitir esté activada y, a continuación, haga clic en *Aceptar*.

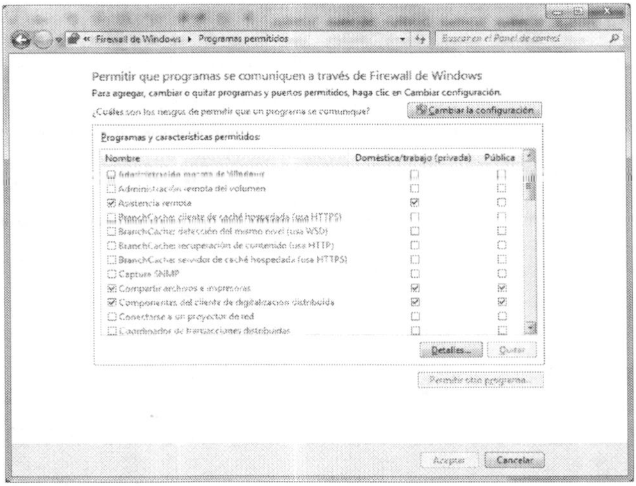

Figura 6.7

Sin embargo, si el programa no aparece en la lista de *Programas permitidos*, es posible que deba abrir (agregar) un puerto. Por ejemplo, si desea jugar en red, es posible que deba abrir un puerto para el programa de juego, de manera que el firewall permita que la información del juego llegue a su equipo. A diferencia de una excepción, en la que sólo permanece abierto durante el tiempo necesario, el puerto se mantiene abierto permanentemente. Por lo tanto, deberá asegurarse de cerrar los puertos que ya no necesite.

Para agregar, cambiar o quitar programas y puertos permitidos, haga clic en *Cambiar la configuración* en la Figura 6.7.

Cuando crea una excepción o abre un puerto en un firewall, está permitiendo que un programa determinado envíe a través del firewall información procedente de su equipo o destinada a éste. Permitir que un programa se comunique a través de un firewall (lo que en ocasiones se denomina desbloqueo) es como abrir una puertecita en el firewall. Cada vez que crea una excepción o abre un puerto para que un programa se comunique a través de un firewall, el equipo queda algo menos protegido. Cuanto mayor sea el número de excepciones o puertos abiertos en el firewall, más oportunidades tendrán los piratas informáticos o el software malintencionado de usar alguna de esas aperturas para propagar un gusano, obtener acceso a archivos o utilizar el equipo para propagar software malintencionado a otros equipos.

Por lo general, resulta más seguro crear una excepción de programa que abrir un puerto. Si abre un puerto, se mantiene abierto hasta que lo cierre, independientemente de si lo usa o no un programa. Si crea una excepción, la "puerta" se abre únicamente cuando es necesario para una comunicación determinada.

Para ayudar a reducir riesgos para la seguridad sólo debe crear una excepción o abrir un puerto cuando sea realmente preciso, y quitar las excepciones o cerrar los puertos que ya no necesite. Además, no cree nunca una excepción ni abra un puerto para un programa que no reconozca.

Muchos juegos le permiten jugar partidas de varios jugadores con otras personas en Internet. Para ello, los programas de juego necesitan intercambiar grandes cantidades de datos entre su equipo y los equipos del resto de jugadores. Estos datos entran y salen del equipo a través de un pasillo que se denomina puerto. Para que los juegos intercambien datos, debe abrirse el puerto correcto en cada equipo que esté participando en el juego. Algunos juegos se conectan al puerto correcto automáticamente, pero muchos juegos exigen que abra el puerto manualmente para que el juego funcione. Si hay una serie de juegos de varios jugadores que parece que no funcionan a través de Internet o en una red, es posible que el firewall o el servidor proxy estén bloqueando el puerto que el juego utiliza. Intente comprobar la información suministrada con el juego para ver si necesita tener un puerto específico abierto para jugar o compruebe cuidadosamente si hay algún mensaje de error.

6.3.3 Restaurar la configuración predeterminada de firewall de Windows

Si ha cambiado opciones de firewall de Windows y desea deshacer los cambios, puede restaurar la configuración de firewall original (predeterminada).

1. Haga clic en *Inicio* → *Panel de control* → *Sistema y seguridad* → *Firewall de Windows* (Figura 6.4) para abrir Firewall de Windows (Figura 6.5).

2. En el panel izquierdo de la Figura 6.5 haga clic en la opción *Restaurar valores predeterminados*.

Cuando se restaura la configuración predeterminada, se quitan todos los cambios realizados en la configuración de firewall de Windows hasta ese momento para todos los tipos de ubicación de red. Esto puede provocar que los programas a los que haya permitido la comunicación a través del firewall dejen de funcionar.

6.4 PROTECCIÓN ANTIVIRUS

El software antivirus puede ayudarle a proteger el equipo contra los virus y otras amenazas de seguridad. Windows comprueba regularmente si hay un programa antivirus instalado en el equipo, si está funcionando y si está actualizado. El estado del programa antivirus se muestra en el Centro de actividades. Sin embargo, Windows no detecta todos los programas antivirus y algunos programas de este tipo no informan a Windows sobre su estado.

Los virus, los gusanos y los caballos de Troya son programas creados por hackers que utilizan Internet para infectar

equipos vulnerables. Los virus y los gusanos pueden autorreplicarse de un equipo a otro, mientras que los caballos de Troya entran en un equipo ocultándose dentro de un programa aparentemente de confianza, por ejemplo, un protector de pantalla. Los virus, los gusanos y los caballos de Troya destructivos pueden borrar información del disco duro o deshabilitar completamente el equipo. Otros no causan ningún daño directo, pero empeoran el rendimiento y la estabilidad del equipo.

Los programas antivirus examinan el correo electrónico y otros archivos en busca de virus, gusanos y caballos de Troya. Si se detecta alguno, el programa antivirus lo pone en cuarentena (lo aísla) o lo elimina totalmente antes de que pueda dañar el equipo y los archivos. Windows no tiene integrado ningún programa antivirus, pero es posible que el fabricante del equipo haya instalado uno. Si no es así, visite el sitio web acerca de proveedores de software de seguridad de Windows 7 para buscar un programa antivirus: *http://www.microsoft.com/spain/windows/antivirus-partners/windows-7.aspx.*

6.5 USAR PROTECCIÓN CONTRA SPYWARE

El *spyware* es software que puede mostrar anuncios, recopilar información sobre el usuario o cambiar la configuración del equipo, normalmente sin obtener su consentimiento, como debiera. Por ejemplo, el *spyware* puede instalar barras de herramientas, vínculos o favoritos no deseados en el explorador web, cambiar la página principal predeterminada o mostrar anuncios emergentes con frecuencia. Determinados tipos de *spyware* no muestran síntomas que se puedan detectar, sino que recopilan de forma secreta información importante como, por ejemplo, los sitios web que visita o el texto que escribe. La mayor parte del *spyware* se instala a través del software gratuito que pueda descargar, pero en algunos casos una infección con *spyware* se puede contraer simplemente visitando un sitio web.

6.5.1 Windows Defender

Para ayudar a proteger el equipo contra el *spyware*, use un programa anti-*spyware*. Esta versión de Windows tiene integrado un programa anti-*spyware* denominado Windows Defender, que está activado de forma predeterminada. Windows Defender le alerta cuando determinado *spyware* intenta instalarse en el equipo. También puede examinar el equipo para comprobar si tiene *spyware* y, a continuación, quitarlo.

Cada día aparece nuevo *spyware*, por lo que Windows Defender debe actualizarse regularmente con el fin de detectar y protegerse contra las últimas amenazas de *spyware*. Windows Defender se actualiza cuando es necesario siempre que actualiza Windows. Para lograr el máximo nivel de protección, configure Windows para que instale las actualizaciones automáticamente (consulte lo que se explica a continuación).

Windows Defender es un software anti-*spyware* que se incluye en Windows y se ejecuta automáticamente cuando se activa. El software anti-*spyware* puede ayudarle a proteger el equipo frente a spyware y otro software potencialmente no deseado. Cada vez que se conecta a Internet, y sin que usted se dé cuenta, puede instalarse *spyware* en el equipo e infectarlo cuando se instalan programas mediante un CD, un DVD u otro medio extraíble. El *spyware* también puede programarse para que se ejecute a horas inesperadas y no sólo al instalarse.

Windows Defender ofrece dos maneras de impedir que el *spyware* infecte el equipo:

- *Protección en tiempo real.* Windows Defender le alerta cuando hay *spyware* que intenta instalarse o ejecutarse en su equipo. También le avisan si los programas intentan cambiar configuraciones importantes de Windows.

- *Opciones de análisis*. Puede usar Windows Defender para buscar *spyware* que pueda estar instalado en el equipo, para programar exámenes periódicos y para quitar de forma automática cualquier elemento detectado durante el examen.

Al usar Windows Defender, resulta esencial que las definiciones estén actualizadas. Las definiciones son archivos que actúan como una enciclopedia en constante ampliación de amenazas potenciales. Windows Defender usa definiciones para alertarle de los posibles riesgos si determina que el software detectado es *spyware* u otro software potencialmente no deseado. Para que las definiciones estén actualizadas, Windows Defender funciona con Windows Update para instalar de forma automática las definiciones en cuanto se publican. También puede configurar Windows Defender para que busque en Internet las definiciones más recientes antes de analizar el equipo.

Para *buscar automáticamente nuevas definiciones antes de los análisis programados* (recomendado) o *ejecutar el examen sólo cuando el sistema está inactivo*, se tendrá en cuenta lo siguiente:

1. Haga clic in *Inicio* → *Panel de control* y en *Ver por* elija *Iconos pequeños* (Figura 6.8). A continuación haga clic en *Windows Defender* en la Figura 6.9. Se obtiene la Figura 6.10.

2. Haga clic en *Herramientas* y en la Figura 6.11 en *Opciones*.

3. En la Figura 6.12, en *Examen automático*, asegúrese de que la casilla *Examinar equipo automáticamente (recomendado)* esté activada. Se puede definir la *Frecuencia*, la *Hora* y el *Tipo* de examen para el examen automático.

4. Active la casilla *Comprobar las definiciones actualizadas antes de examinar* y, después, haga clic en *Guardar*. Si se le

solicita una contraseña de administrador o una confirmación, escriba la contraseña o proporcione la confirmación.

5. Si se activa la casilla *Ejecutar el examen sólo cuando el sistema está inactivo*, el trabajo habitual no será interrumpido por la actividad de búsqueda de *spyware*.

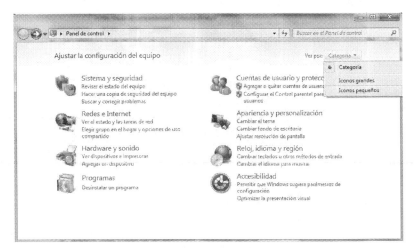

Figura 6.8

Figura 6.9

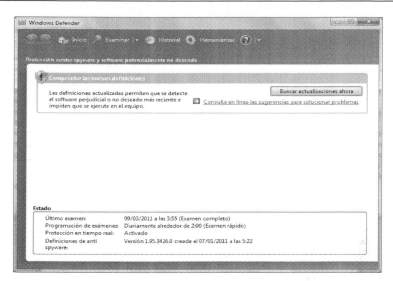

Figura 6.10

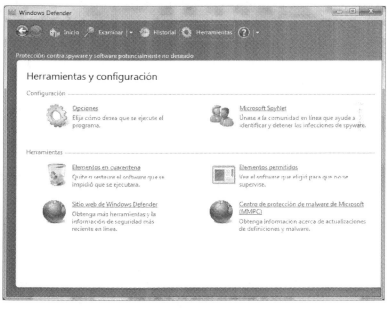

Figura 6.11

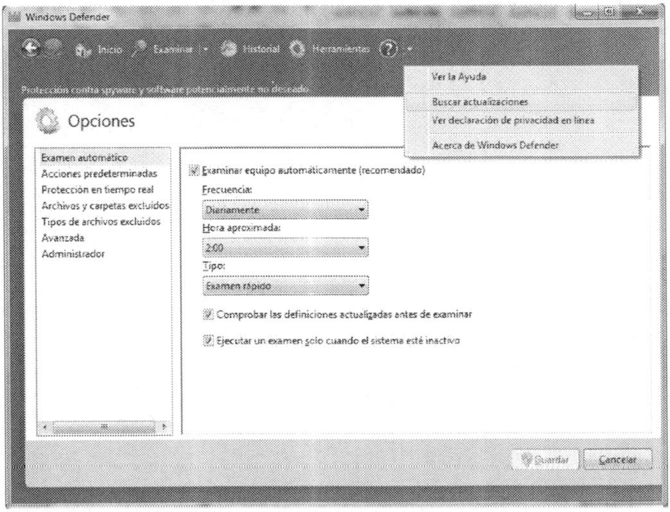

Figura 6.12

Si no realiza análisis programados o si no obtiene las actualizaciones automáticamente, es aconsejable buscar nuevas definiciones al menos una vez por semana. Para ayudarle a proteger su PC, Windows Defender le avisará si las definiciones llevan más de siete días caducadas.

Para *buscar manualmente nuevas definiciones* haga clic en la flecha junto al botón Ayuda 🔵 y, a continuación, haga clic en *Buscar actualizaciones* (Figura 6.12).

6.5.2 Buscar *spyware* y otro software potencialmente no deseado

Con Windows Defender, puede realizar un examen rápido, un examen completo o un examen personalizado del equipo. Para ello, en la Figura 6.12 se hace clic en *Examinar* y en la Figura 6.13 se elige *Examen rápido, Exámen completo* o *Examen personalizado*. Si sospecha que algún *spyware* ha infectado alguna zona específica de su equipo, puede personalizar un examen seleccionando sólo las unidades y las carpetas que desea analizar (Figura 6.14). En un examen rápido (Figura 6.15), se comprueban las secciones del disco duro del equipo que suelen infectarse con *spyware*. En un examen completo, se comprueban todos los archivos del disco duro y los programas en ejecución, lo que puede ralentizar el funcionamiento del equipo hasta que finaliza el examen. Le recomendamos que realice un examen rápido diariamente. Si sospecha que algún *spyware* ha infectado su equipo, lleve a cabo un examen completo del sistema.

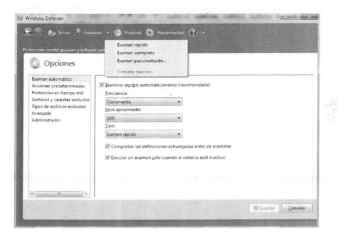

Figura 6.13

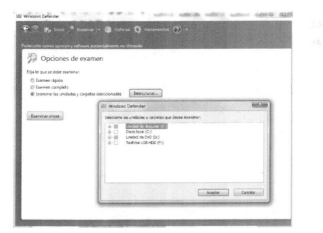

Figura 6.14

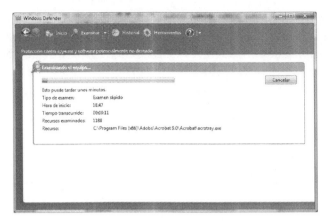

Figura 6.15

6.5.3 Acciones predeterminadas, protección en tiempo real, archivos y carpetas excluidos y opciones avanzadas

Si en el panel de la izquierda de la Figura 6.13 hacemos clic en *Acciones predeterminadas* podremos elegir como predeterminadas las acciones de *Quitar, Permitir* o *En cuarentena* para elementos de alerta grave, alta, mediana o leve (Figura 6.16).

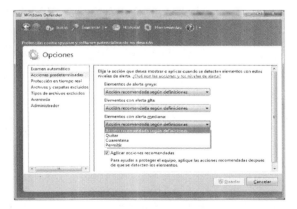

Figura 6.16

Si en el panel de la izquierda de la Figura 6.17 hacemos clic en *Protección en tiempo real* la protección contra el *spyware* le alertará en caso de producirse un intento de instalación o ejecución de *spyware* y otro software potencialmente no deseado (Figura 6.17).

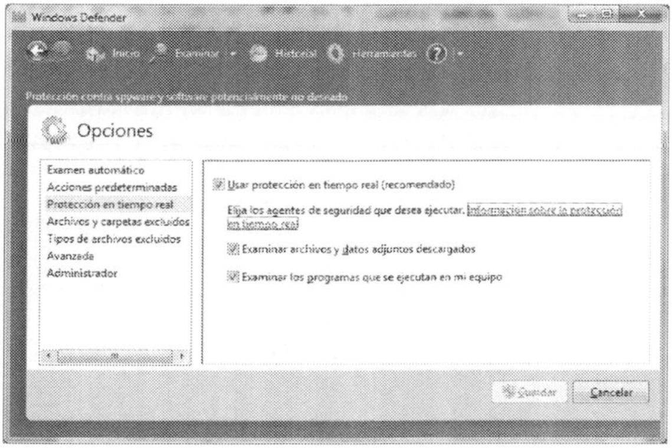

Figura 6.17

Si en el panel de la izquierda de la Figura 6.18 hacemos clic en *Archivos y carpetas excluidos* podremos agregar en la Figura 6.18 archivos y carpetas para no examinar. Similarmente, la opción del panel *Tipos de archivos excluidos* permitirá la exclusión del examen de los tipos de archivo definidos en la Figura 6.19.

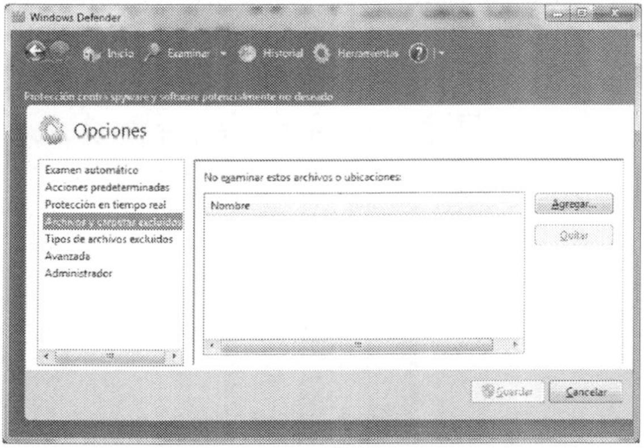

Figura 6.18

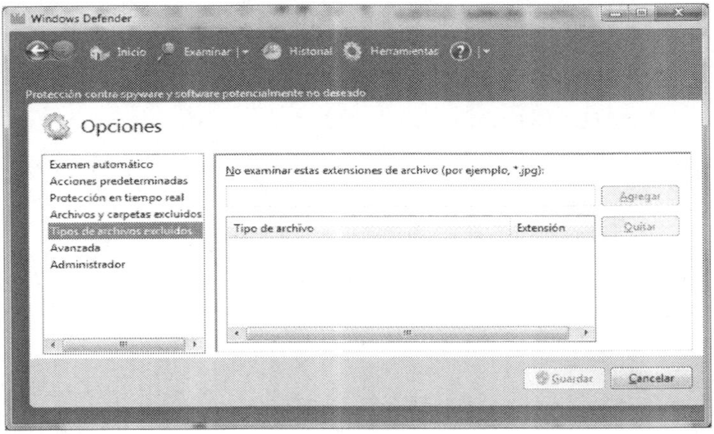

Figura 6.19

Si en el panel de la izquierda de la Figura 6.20 hacemos clic en *Avanzadas* se podrán administrar las opciones avanzadas de protección de la Figura 6.20.

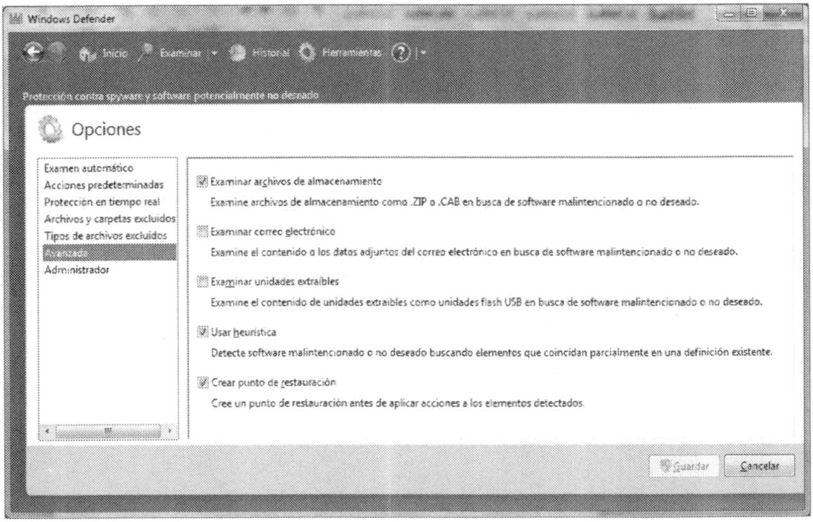

Figura 6.20

Las opciones de examen avanzado del equipo son las siguientes:

- *Examinar archivos de almacenamiento.* Es posible que al examinar estas ubicaciones aumente el tiempo necesario para completar un examen, pero el *spyware* y otras aplicaciones no deseadas pueden instalarse e intentar "ocultarse" en estas ubicaciones.

- *Examinar correo electrónico.* Use esta opción para examinar el contenido de los correos electrónicos y los archivos adjuntos.

- *Examinar unidades extraíbles.* Use esta opción para examinar el contenido de las unidades extraíbles, por ejemplo, unidades flash USB.

- *Usar heurística.* Windows Defender usa los archivos de definiciones para identificar amenazas conocidas, pero también puede detectar y alertar acerca del comportamiento no deseado o potencialmente dañino de un software que todavía no figura en un archivo de definición.

- *Crear un punto de restauración.* Como puede configurar Windows Defender para que quite automáticamente los elementos detectados, seleccionar esta opción le permitirá restaurar los ajustes del sistema en los casos en que desee usar un software que no tenía intención de quitar.

6.6 ACTUALIZAR WINDOWS AUTOMÁTICAMENTE. WINDOWS UPDATE

Microsoft ofrece periódicamente actualizaciones importantes de Windows que pueden contribuir a proteger el equipo contra nuevos virus y otras amenazas para la seguridad. Para asegurarse de recibir estas actualizaciones lo más rápidamente posible, active las actualizaciones automáticas a través de Windows Update. De este modo, no deberá preocuparse de que las correcciones importantes para Windows falten en el equipo.

Las actualizaciones se descargan en segundo plano cuando se conecta a Internet. Las actualizaciones se instalan a las 3:00 a.m., a menos que especifique una hora diferente. Si desactiva el equipo antes de esa hora, puede instalar las actualizaciones antes de apagarlo. De lo contrario, Windows las instalará la próxima vez que inicie el equipo.

Para activar las actualizaciones automáticas a través de Windows Update se tendrá en cuenta lo siguiente:

1. Haga clic en *Inicio* → *Panel de control* → *Sistema y seguridad* → *Windows Update* (Figura 6.21). Se obtiene la Figura 6.22.

2. Haga clic en *Cambiar configuración* en el panel izquierdo de la Figura 6.22.

3. En la Figura 6.23 asegúrese de que la opción *Instalar actualizaciones automáticamente (recomendado)* esté seleccionada. Windows instalará las actualizaciones importantes para el equipo a medida que estén disponibles. Las actualizaciones importantes ofrecen ventajas significativas, como una mayor seguridad y confiabilidad.

4. En *Actualizaciones recomendadas*, compruebe que esté activada la casilla *Ofrecerme actualizaciones recomendadas de la misma forma que recibo las actualizaciones importantes* y, a continuación, haga clic en *Aceptar*. Las actualizaciones recomendadas pueden solucionar problemas que no son críticos y ayudar a mejorar la experiencia del usuario. Si se le solicita una contraseña de administrador o una confirmación, escriba la contraseña o proporcione la confirmación.

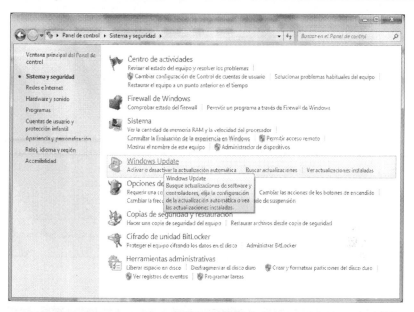

Figura 6.21

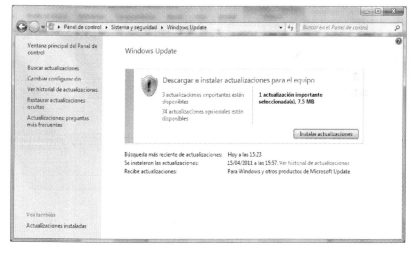

Figura 6.22

Figura 6.23

Si se hace clic en *Buscar actualizaciones* en el panel izquierdo de la Figura 6.22, Windows Update busca las actualizaciones disponibles para el equipo posteriores a la última actualización automática (Figura 6-24). Una vez encontradas estas actualizaciones, se clasifican en importantes y opcionales (Figura 6.25). Haciendo clic sobre ellas se selecionan y se instalan con el botón *Instalar actualizaciones*.

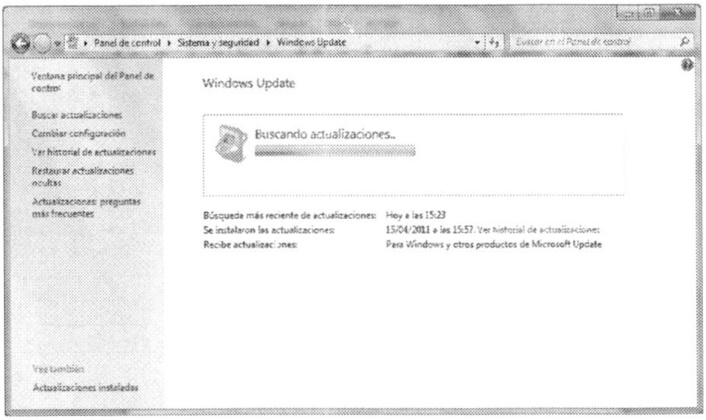

Figura 6.24

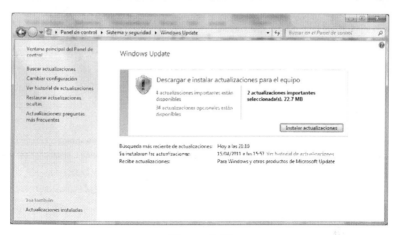

Figura 6.25

Si se hace clic en *Ver historial de actualizaciones* en el panel izquierdo de la Figura 6.26, Windows Update presenta el historial de las actualizaciones realizadas (Figutra 6-26).

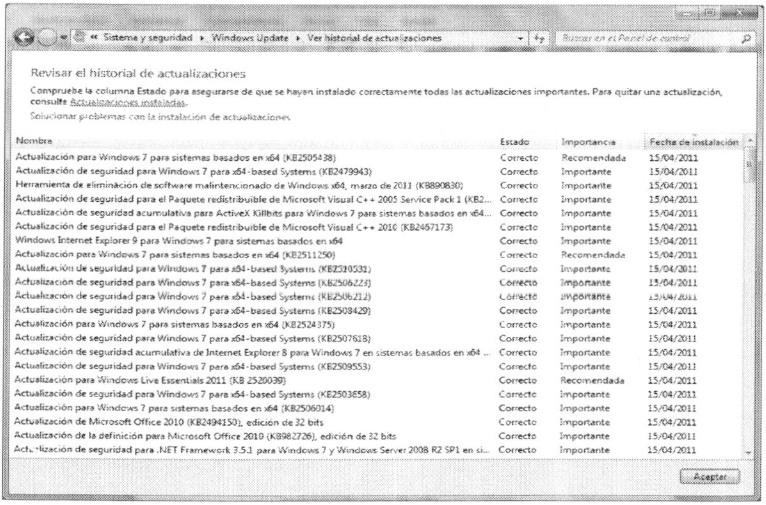

Figura 6.26

6.7 SEGURIDAD MEDIANTE CIFRADO. BILOCKER

El cifrado es una técnica de protección de la información que permite aumentar la seguridad de un mensaje o de un archivo mediante la codificación del contenido, de manera que sólo pueda leerlo la persona que cuente con la clave de cifrado adecuada para descodificarlo. El cifrado se utiliza cuando se desea un alto nivel de protección de la información. Windows Vista incorpora el sistema de cifrado de archivos EFS, que es una característica que permite almacenar información en el disco duro en formato cifrado. EFS es una técnica de cifrado sencillo que se realiza activando una casilla en las propiedades del archivo o de la carpeta a cifrar. De esta forma, el usuario controla quién puede leer los archivos.

Los archivos se cifran cuando se cierran, pero cuando se abren quedan automáticamente listos para su uso. Si cambia de idea con respecto al cifrado de un archivo, desactive la casilla en las propiedades del archivo.

Los archivos o las carpetas se deben cifrar si se considera importante que cuenten con la máxima protección que puede proporcionar Windows. Dada la facilidad con que se pueden cifrar los archivos y las carpetas, es posible que se sienta tentado a cifrar todos sus datos. Puede hacerlo, pero debe tener en cuenta algunas consideraciones:

- Asegúrese de hacer una copia de seguridad del certificado de cifrado y de la clave de cifrado, y almacénelos en un lugar seguro. Si el certificado y la clave de cifrado se pierden o se dañan, no podrá usar los archivos que haya cifrado.

- Si cifra una carpeta, los archivos que cree en la misma se cifrarán automáticamente.

- Para que otras personas puedan obtener acceso a archivos o carpetas que cifre, deberá agregarse el certificado de sistema de cifrado de archivos (EFS) específico de dichos usuarios.

Con ese certificado, cuando usen su equipo pueden tener acceso a los archivos o a las carpetas que haya cifrado. Si los archivos son compartidos, pueden obtener acceso a los mismos desde otro equipo en el que se ejecute Windows.

- Si copia o mueve un archivo a un equipo o a un volumen que no use el sistema de archivos NTFS, se descifrará el archivo.

Para *cifrar una carpeta o un archivo* se tendrá en cuenta lo siguiente:

1. Haga clic con el botón secundario en la carpeta o el archivo que desee cifrar, y, a continuación, haga clic en *Propiedades* (Figura 6.27).

2. En la Figura 6.28 haga clic en la pestaña *General* y, después, en *Avanzadas*.

3. En la Figura 6.29 active la casilla *Cifrar contenido para proteger datos* y, a continuación, haga clic en *Aceptar*.

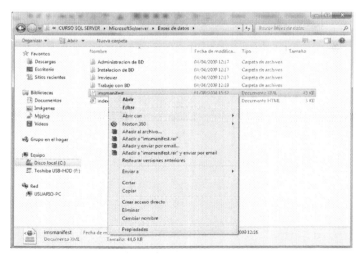

Figura 6.27

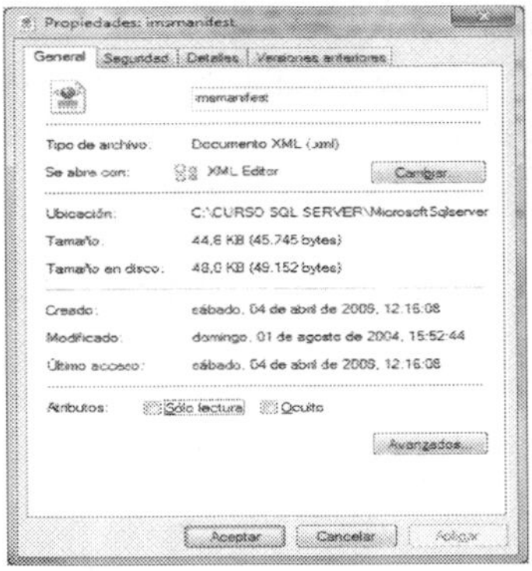

Figura 6.28 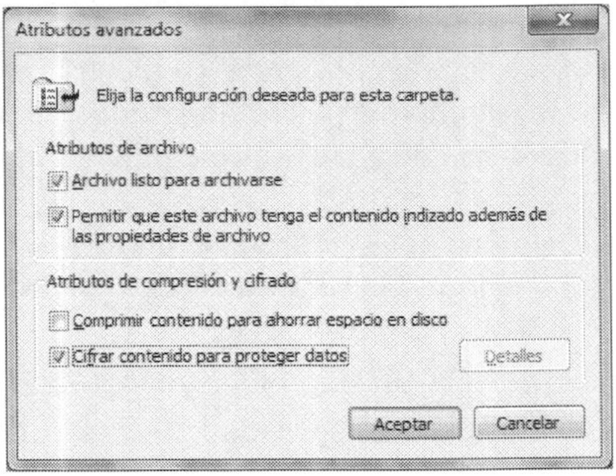   Figura 6.29

Para *descifrar una carpeta o un archivo* se tendrá en cuenta lo siguiente:

1. Haga clic con el botón secundario en la carpeta o el archivo que desee descifrar, y, a continuación, haga clic en *Propiedades*.

2. Haga clic en la pestaña *General* y, después, en *Avanzadas*.

3. Desactive la casilla *Cifrar contenido para proteger datos* y, a continuación, haga clic en *Aceptar*.

Si cuando quiere cifrar un archivo, el botón de *Opciones avanzadas* no aparece en el cuadro de diálogo *Propiedades*, el sistema de archivos no es adecuado para el cifrado. El sistema de cifrado de archivos (EFS) sólo funciona en equipos que usan el sistema de archivos NTFS. Si el archivo que desea cifrar se encuentra en un volumen que usa el sistema de archivos FAT o FAT32, deberá convertir el volumen a NTFS para que aparezca el botón de *Opciones avanzadas*. También puede ocurrir que cuando se intenta abrir un archivo cifrado, se deniegue el acceso. En este caso, el archivo se cifró mediante una clave que no se encuentra en el equipo o que no se ha importado. Si transfirió el archivo desde otro equipo, deberá obtener la clave de ese equipo. Si otro usuario cifró el archivo, esa persona deberá agregar su certificado al archivo para que pueda obtener acceso al mismo. Consulte *Compartir archivos cifrados* para obtener instrucciones acerca de cómo compartir archivos cifrados con otra persona.

Un cifrado especial en Windows 7 es el *Cifrado de unidad BitLocker (BitLocker),* que protege todos los archivos almacenados en la unidad en la que está instalado Windows. A diferencia del Sistema de cifrado de archivos EFS, que le permite cifrar archivos específicos, BitLocker cifra toda la unidad del sistema, incluidos los archivos de sistema de Windows necesarios para el inicio del equipo y el inicio de sesión. Puede iniciar sesión y trabajar normalmente con los archivos, pero BitLocker puede ayudar a evitar que los piratas informáticos obtengan acceso a los archivos de sistema que necesitan para averiguar su contraseña; también pueden obtener acceso al disco duro si lo instalan en otro equipo. BitLocker sólo puede proteger archivos que están almacenados en la unidad en que está instalado Windows. Si los almacena en otras unidades, puede protegerlos con EFS.

Para *activar BitLocker* haga clic en *Inicio → Panel de Control → Sistema y seguridad → Cifrado de unidad BitLocker* en la Figura 6.21 para abrir BitLocker.

6.8 COPIAS DE SEGURIDAD Y RESTAURACIÓN

Las copias de seguridad de archivos son copias que están almacenadas en una ubicación independiente de los originales. Pueden realizarse varias copias de seguridad de un archivo si se desea llevar a cabo un seguimiento de los cambios del archivo.

6.8.1 Copias de seguridad de archivos o del equipo

Para asegurarse de no perder los archivos que crea, modifica y almacena en el equipo, debe realizar copias de seguridad regulares de los mismos. Puede ejecutar copias de seguridad manuales en cualquier momento o configurar copias de seguridad automáticas.

Para *realizar copias de seguridad de los archivos* haga clic en *Inicio* → *Panel de control* → *Sistema y seguridad* → *Copias de seguridad y restauración* (Figura 6.30). En la Figura 6.31 haga clic en *Configurar copias de seguridad* y siga los pasos del asistente (figuras 6-32 a 6-36). Si se solicita una contraseña de administrador o una confirmación, escriba la contraseña o proporcione la confirmación.

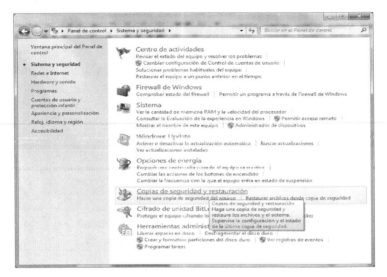

Figura 6.30

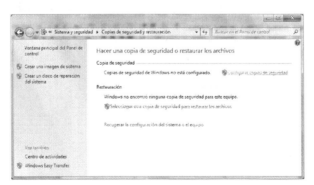

Figura 6.31

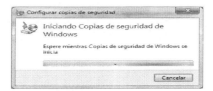

Figura 6.32

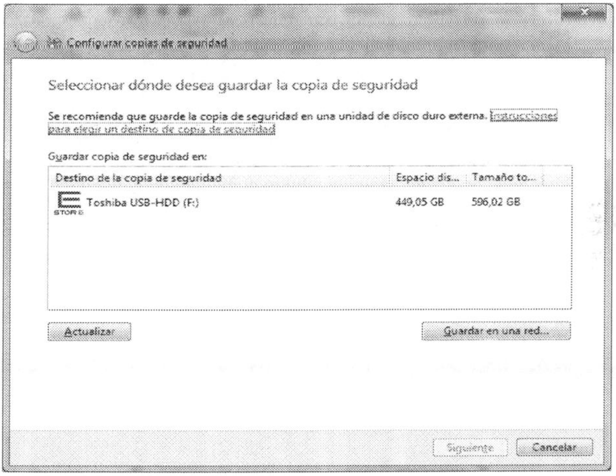

Figura 6.33

Figura 6.34

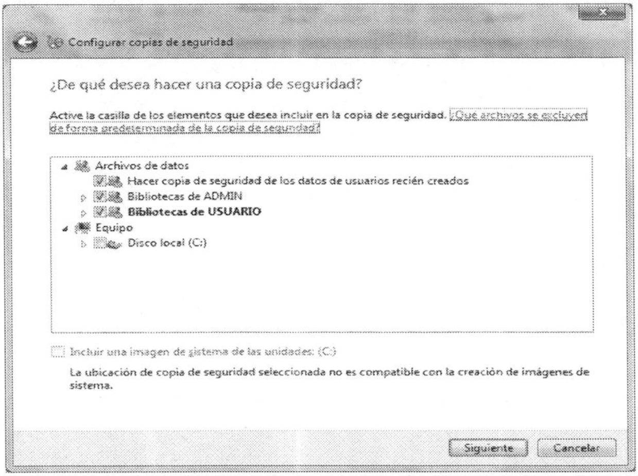

Figura 6.35

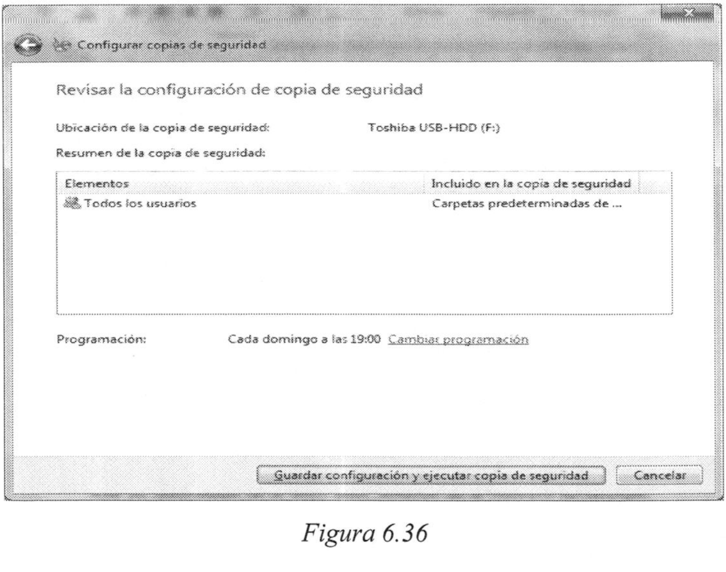

Figura 6.36

El botón *Cambiar la programación* de la Figura 6.66 permite programar copias de seguridad automáticas a través de los campos de la Figura 6.67.

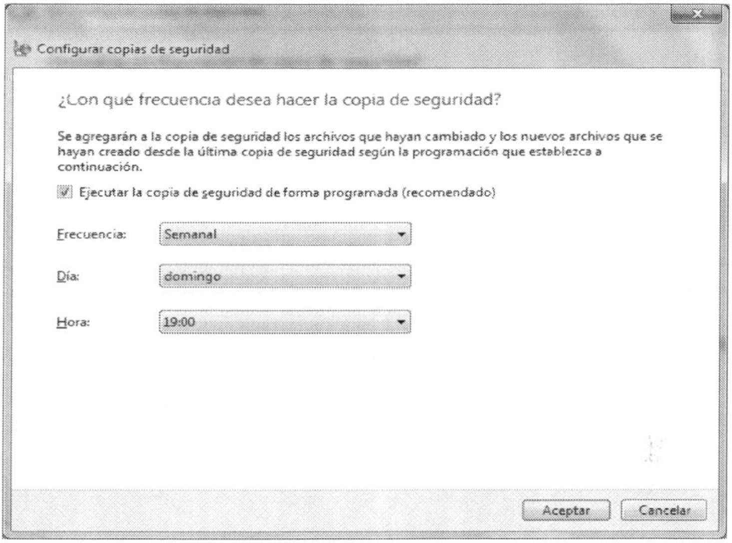

Figura 6.37

6.8.2 Restauración de copias de seguridad de archivos

Para *restaurar archivos de la última copia de seguridad hecha en el propio equipo* elija *Inicio* → *Panel de control* → *Sistema y seguridad* → *Copias de seguridad y restauración*. En la Figura 6.38 haga clic en *Restaurar todos los archivos de usuario* y siga los pasos que se indican.

Para *restaurar archivos de otra copia de seguridad hecha en el propio equipo* elija *Inicio* → *Panel de control* → *Sistema y seguridad* → *Copias de seguridad y restauración*. En la Figura 6.44 haga clic en *Seleccionar otra copia de seguridad para restaurar los archivos*. En la Figura 6.39 seleccione la copia de seguridad desde la que desea restaurar los archivos. Haga clic en *Siguiente* y siga los pasos que se indican. El botón *Activar la programación* de la Figura 6.38 pasa a activa la configuración de copia de seguridad programada. El botón *Cambiar la configuración* permite realizar una nueva configuración definiendo destino de la copia de seguridad y otras características.

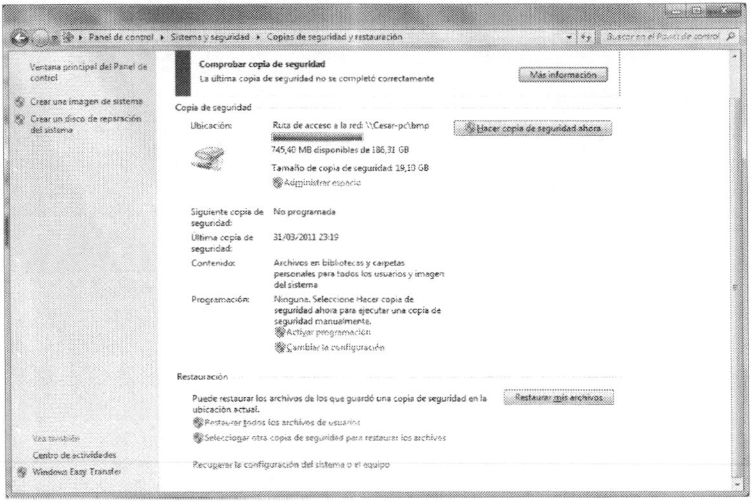

Figura 6.38

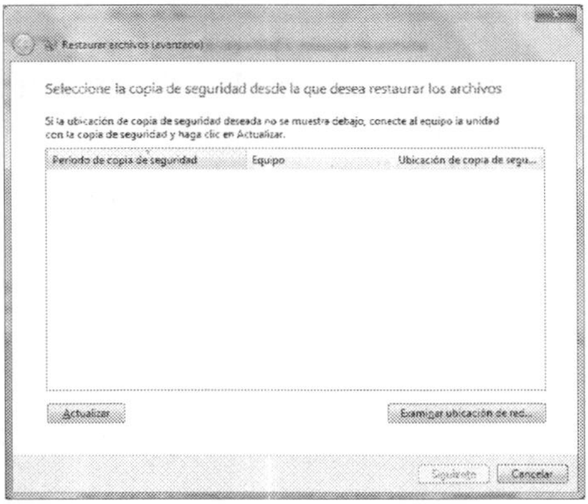

Figura 6.39

6.9 RESTAURAR SISTEMA. PUNTOS DE RESTAURACIÓN

Restaurar sistema permite restaurar los archivos de sistema del equipo a un momento anterior. Es una manera de deshacer cambios del sistema realizados en el equipo, sin que esto afecte a los archivos personales, como el correo electrónico, documentos o fotografías. A veces, la instalación de un programa o un controlador puede hacer que se produzca un cambio inesperado en el equipo o que Windows funcione de manera imprevisible. Por lo general, al desinstalar el programa o el controlador se corrige el problema. Si la desinstalación no soluciona el problema, puede intentar restaurar el sistema del equipo al estado en que se encontraba en una fecha anterior, cuando todo funcionaba bien. *Restaurar sistema* usa la característica *Protección del sistema* para crear y guardar puntos de restauración en el equipo. Estos puntos de restauración contienen información acerca de la configuración del *Registro* y otra información del sistema que usa Windows. También puede crear puntos de restauración manualmente.

Restaurar sistema usa puntos de restauración para hacer que los archivos del sistema y la configuración vuelvan al estado en que se encontraban en un momento anterior, sin que esto afecte a los archivos personales.

Restaurar sistema no está diseñado para hacer copias de seguridad de archivos personales, de manera que no puede usarse para recuperar un archivo personal que se ha eliminado o dañado. Debe hacer copias de seguridad periódicas de sus archivos personales y datos importantes con un programa de copia de seguridad. *Restaurar sistema* puede hacer cambios en los archivos de sistema, la configuración del *Registro* y los programas instalados en el equipo. También puede hacer cambios en scripts, archivos por lotes y otros tipos de archivos ejecutables del equipo. Los archivos personales, como documentos, correo electrónico, fotografías y archivos de música, no sufren cambios.

Para *restaurar el equipo a un punto anterior en el tiempo* haga clic en *Inicio* → *Panel de control* → *Sistema y seguridad* → *Centro de actividades* y, a continuación, haga clic en *Recuperación* (Figura 6.40). Se obtiene el asistente para *Restaurar sistema* (Figura 6.41). Haga clic en *Abrir restaurar sistema* para obtener la pantalla de la Figura 6.42. Al hacer clic en *Siguiente* se obtiene la pantalla de la Figura 6.43 en la que se elige el punto de restauración al que se hará retroceder al sistema. Al hacer clic en *Crear* se obtiene el punto de restauración. El botón *Restaurar sistema* permite restaurar los archivos de sistema del equipo tal y como estaban en un punto anterior a partir de las opciones del asistente para *Restaurar sistema* de la Figura 6.45. Se hace clic en *Siguiente* y se inicia la restauración.

Figura 6.40

Figura 6.41

Figura 6.42

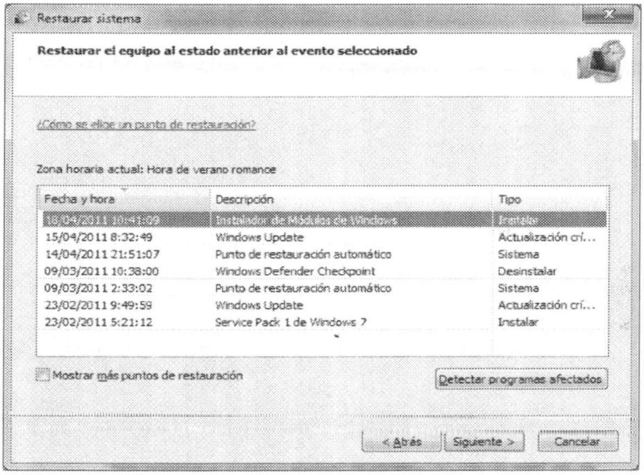

Figura 6.43

Si en la Figura 6.41 se hace clic en Métodos avanzados de recuperación se obtiene la pantalla de la Figura 6.44 que permite elegir entre usar una imagen del sistema creada previamente para recuperar el equipo o reinstalar Windows.

Figura 6.44

Para *restaurar el sistema a un punto de restauración anterior* también se puede hacer clic en *Inicio* → *Todos los programas* → *Accesorios* → *Herramientas del sistema* y, a continuación, en *Restaurar sistema* (Figura 6.51).

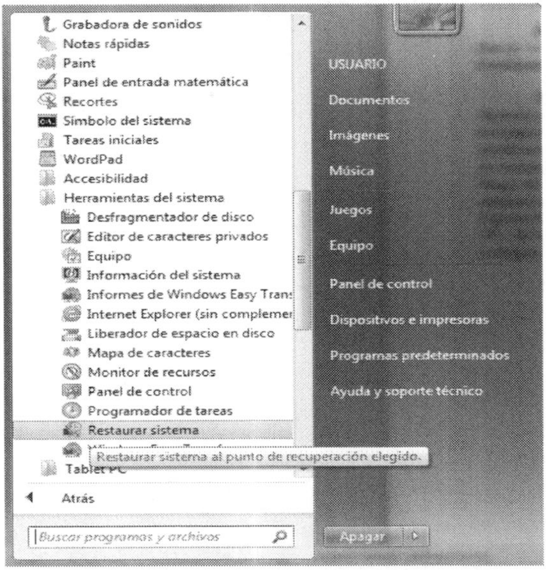

Figura 6.45

Capítulo 7

REDES E INTERNET

7.1 TIPOLOGÍA DE REDES Y CARACTERÍSTICAS

Windows 7 administra las conexiones de red mediante el *Centro de redes y recursos compartidos*. No obstante, antes de abordar esta tarea nos ocuparemos de la tipología habitual de redes y sus características.

Consideraremos dos grandes grupos de redes formados por las redes de pequeña oficina y domésticas y por las redes de área de trabajo. El esquema siguiente muestra una clasificación inicial de las redes.

$$Redes \begin{cases} Dom\acute{e}sticas\ y\ de\ peque\~na\ oficina \begin{cases} Inal\acute{a}mbricas \\ Ethernet \\ HPNA \end{cases} \\ Redes\ de\ \acute{a}rea\ de\ trabajo \end{cases}$$

7.2 REDES DE PEQUEÑA OFICINA Y DOMÉSTICAS (GRUPO HOGAR)

Hoy en día es típico disponer de varios equipos en el mismo domicilio u oficina y encontrase con la necesidad de conectarlos en red, ya sea para acceder a Internet desde todos ellos, para compartir una impresora o por cualquier otra razón. De esta forma surge la necesidad de montar una red doméstica. La variedad de opciones disponibles para las redes domésticas hoy en día puede complicar las decisiones de compra. Antes de decidir qué hardware adquirir, debe decidir qué tipo de tecnología de red (la forma en que los equipos de una red se conectan o comunican entre ellos) va a utilizar.

7.2.1 Redes inalámbricas

Las redes inalámbricas usan ondas de radio para enviar información de un equipo a otro. Los tres estándares de red inalámbrica más comunes son 802.11b, 802.11g y 802.11a. A continuación se describen las características más importantes de este tipo de redes.

En cuanto a velocidad, el producto 802.11b transfiere datos a una velocidad máxima de 11 megabits por segundo (Mbps), el producto 802.11g transfiere datos a una velocidad máxima de 54 Mbps y el producto 802.11a transfiere datos a una velocidad máxima de 54 Mbps.

En cuanto a coste, los adaptadores de red inalámbrica y los enrutadores pueden tener un costo tres o cuatro veces mayor que los adaptadores de cable Ethernet y los concentradores o conmutadores. Los productos 802.11b son los más económicos, mientras que los productos 802.11a son los más caros. Los productos 802.11g tienen un precio intermedio y ofrecen un alcance de señal superior al de los productos 802.11b y 802.11a.

Como ventajas destaca que resulta fácil trasladar los equipos, puesto que no hay cables. Además, las redes inalámbricas son, por lo general, más sencillas de instalar que Ethernet.

En cuanto a desventajas , la tecnología inalámbrica es más cara y suele ser más lenta que Ethernet o HPNA. Además, puede verse afectada por interferencias, como por ejemplo, paredes, objetos metálicos de gran tamaño o tuberías. Además, muchos teléfonos inalámbricos y hornos microondas, cuando están en funcionamiento, pueden interferir con las redes inalámbricas. Por lo general, las redes inalámbricas alcanzan la mitad de la velocidad que podrían alcanzar en condiciones ideales.

7.2.2 Redes Ethernet

Las redes Ethernet usan cables Ethernet para enviar información de un equipo a otro. Sus características más importantes se describen a continuación.

En cuanto a velocidad, Ethernet transfiere datos a 10, 100 ó 1.000 Mbps, en función del tipo de cable utilizado. Ethernet Gigabit es el más rápido, con una velocidad de transferencia de 1 gigabit por segundo (o 1.000 Mbps).

En cuanto a coste, los cables, concentradores y conmutadores Ethernet son económicos y muchos equipos incluyen adaptadores Ethernet. La mayor parte de la inversión estará destinada a la adición de un concentrador, conmutador o enrutador a la red.

Como ventajas destacan que Ethernet es una tecnología probada y confiable y que las redes Ethernet son económicas y rápidas.

En cuanto a desventajas, deben tenderse cables Ethernet desde cada uno de los equipos al concentrador, conmutador o enrutador, lo que puede resultar laborioso y difícil cuando los equipos se encuentran en distintas habitaciones. Además, Ethernet Gigabit es caro.

7.2.3 Redes HPNA

Las redes HPNA usan el cableado telefónico doméstico para enviar información de un equipo a otro. Sus características se presentan en los párrafos siguientes.

En cuanto a velocidad, HPNA 2.0 transfiere datos a 10 Mbps y HPNA 3.0 transfiere datos a 128 Mbps.

En cuanto a coste, los adaptadores HPNA cuestan un poco más que los adaptadores Ethernet, pero en general son más económicos que los adaptadores inalámbricos.

Como ventajas destacan que HPNA usa el cableado telefónico existente en el hogar y que no son necesarios concentradores o conmutadores para conectar más de dos equipos en una red HPNA.

Como desventajas tenemos que se necesita un conector telefónico en cada habitación donde se tenga un equipo y todos los conectores deben tener la misma línea telefónica.

7.2.4 Configurar una red doméstica

Una vez decidido qué tipo de red se desea y disponiendo ya del hardware necesario, para configurar una red doméstica habrá que instalar el hardware, configurar una conexión a Internet, conectar los equipos y ejecutar el Asistente para configurar un enrutador o punto de acceso inalámbrico.

Si tenemos conexión de banda ancha (ADSL o cable), que es lo habitual, se comienza configurando un primer equipo y una vez que esté configurada la red y el primer equipo funcione correctamente, se pueden agregar equipos o dispositivos adicionales.

Para *instalar el hardware*, en primer lugar es necesario instalar adaptadores de red en los equipos que los necesiten. Para ello siga las instrucciones de instalación de la documentación que acompaña a cada adaptador. El adaptador de red es el dispositivo que conecta el equipo a la red y a veces se denomina *tarjeta de interfaz de red (NIC)*.

No es estrictamente necesario disponer de una conexión a Internet para configurar una red, aunque la mayoría de los usuarios usa su red para compartir dicha conexión. Para *configurar una conexión a Internet,* necesita un módem por cable o ADSL y una cuenta con un proveedor de servicios Internet (ISP). A continuación, abra el *Asistente para conectarse a Internet* y siga las instrucciones.

Si ya dispone de una conexión a Internet, debe comprobar que la conexión funciona. A tal efecto, abra el explorador Web y vaya a un sitio Web que no suela visitar. Si va a un sitio Web que visita a menudo, es posible que algunas de sus páginas estén almacenadas en el equipo y se muestren correctamente, aunque haya problemas en la conexión. Si se abre el sitio Web y no recibe mensajes de error, la conexión funciona.

También puede compartir una conexión a Internet entre dos o más equipos de red. Para ello, puede usar un dispositivo intermediario o configurar *Conexión compartida a Internet (ICS)*. Es posible que su ISP le cobre por varias conexiones a Internet.

Puede usar un enrutador o una combinación de enrutador y módem (también denominada *puerta de enlace a Internet*) para compartir una conexión a Internet. Si usa un enrutador, conéctelo al módem y al equipo con la conexión a Internet, y vuelva a comprobar la conexión. La documentación que acompaña al enrutador debe incluir instrucciones de conexión. Si usa una combinación de enrutador y módem, conéctela a un equipo. Consulte la documentación proporcionada con el dispositivo para obtener instrucciones de conexión detalladas. El enrutador y el módem deben estar encendidos para poder usar la conexión a Internet de cualquier equipo de la red. Si desea compartir una conexión a Internet y no quiere comprar otro equipo, puede configurar ICS en el sistema que esté conectado al módem. Dicho sistema también necesitará dos adaptadores de red: uno para conectarse al módem y otro para conectarse al segundo equipo.

A la hora de *conectar los equipos* existen varias alternativas. La configuración depende de su tipo de adaptador de red, módem y conexión a Internet. Así mismo, depende de si desea compartir una conexión a Internet entre todos los equipos de la red. Las siguientes secciones describen brevemente algunos métodos de conexión.

Para las *redes Ethernet*, el método de conexión depende del número de equipos que tenga y de su ubicación. Si hay dos equipos en la misma sala puede usar un cable cruzado para conectarlos. De ser así y si desea compartir una conexión a Internet entre estos equipos, deberá configurar ICS. Si hay más de dos equipos o equipos en distintas salas, necesita un concentrador, un conmutador o un enrutador para conectar los equipos. Para compartir una conexión a Internet, debe usar un enrutador. Conecte el enrutador al equipo que está conectado al módem (si aún no lo ha hecho).

Si se dispone de una instalación con cable para Ethernet (Ethernet integrada), configure los equipos en salas que dispongan de conectores Ethernet y conéctelos directamente a dichos conectores.

Para las *redes inalámbricas*, ejecute el *Asistente para configurar un enrutador* o punto de acceso inalámbrico en el equipo conectado al enrutador. El asistente le guiará en el proceso de agregar otros equipos y dispositivos a la red.

Para las *redes HPNA*, necesita un adaptador de red HPNA en cada equipo y un conector telefónico en cada sala en la que haya un equipo. Conecte los equipos a los conectores telefónicos. Los equipos se conectarán automáticamente.

Realizadas las conexiones, encienda todos los equipos o dispositivos, como las impresoras, que desee que formen parte de la red. Si la red tiene una instalación con cable para Ethernet o HPNA, debe estar configurada y preparada para usarse. Debe probar la red para asegurarse de que los equipos y los dispositivos están conectados correctamente. Para ello, en cada equipo de la red haga clic en el botón *Inicio* y, a continuación, en *Red*. Deberá ver los iconos del equipo en el que trabaja y de los otros equipos y dispositivos que ha agregado a la red. Si el equipo que comprueba tiene una impresora conectada, es posible que el icono de esta no se vea en otros equipos hasta que habilite el uso compartido de impresoras. Pueden pasar varios minutos hasta que los equipos con versiones anteriores de Windows se muestren en la carpeta Red.

Si su red es inalámbrica, ejecute el *Asistente para configurar un enrutador* o punto de acceso inalámbrico en el equipo conectado al enrutador. El asistente le guiará en el proceso de agregar otros equipos y dispositivos a la red.

7.3 CENTRO DE REDES Y RECURSOS COMPARTIDOS

El *Centro de redes y recursos compartidos* es una nueva herramienta de Windows 7 cuya finalidad es manejar las conexiones de red.

Para acceder al *Centro de redes y recursos compartidos* utilizamos *Panel de control → Redes e Internet* (Figura 7.1). Al hacer clic *en Redes e Internet* se obtiene la Figura 7.2, una de cuyas opciones es *Centro de redes y recursos compartidos*. Al elegir esta última opción, se obtiene la Figura 7.3 que permite ver el estado y las tareas de red (mapa completo de red y redes activas.

Las opciones de la parte inferior de la Figura 7.3 son un índice del trabajo a realizar con redes.

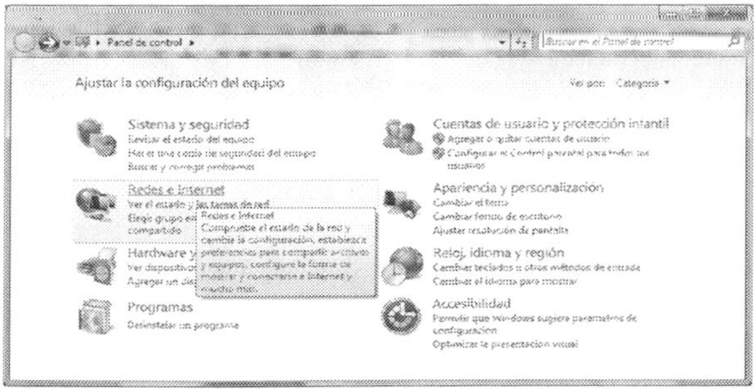

Figura 7.1

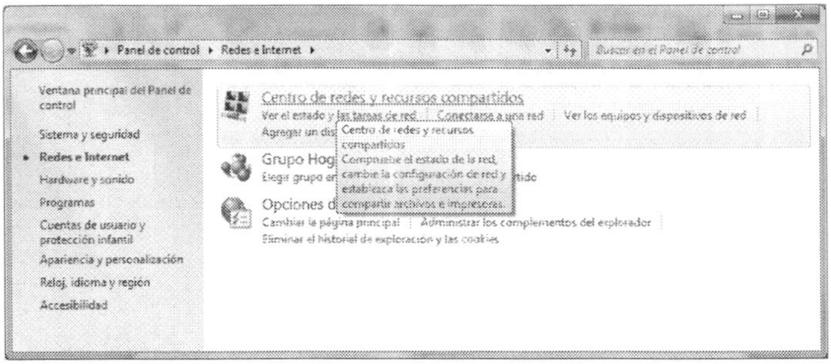

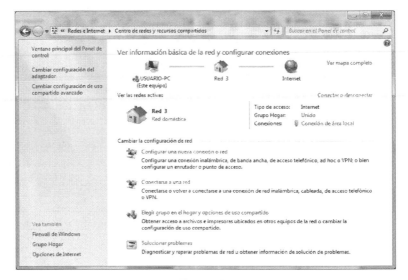

Figura 7.2

Figura 7.3

7.3.1 Configurar una nueva conexión o red

La opción *Configurar una nueva conexión de red* de la Figura 7.3 nos lleva a la Figura 7.4, cuyas opciones permiten *Conectarse a Internet* (Figura 7.5), *Configurar una nueva red* (Figura 7.6), *Conectarse a un área de trabajo* (Figura 7.7) y *Configurar una conexión de acceso telefónico* (Figura 7.8).

Figura 7.4

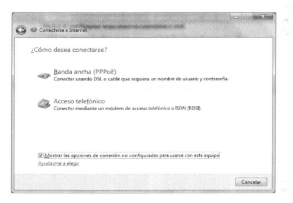

Figura 7.5

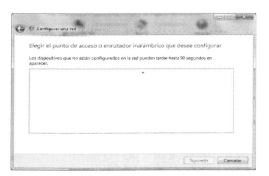

Figura 7.6

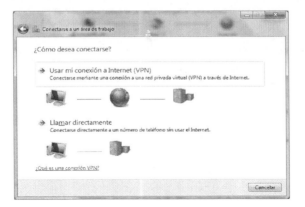

Figura 7.7

Figura 7.8

7.3.2 Conexión a una red

Una vez instalada una red, será necesario conectarse a ella. La opción *Conectarse a una red* del panel de tareas de la Figura 7.3 permite realizar conexiones a todas las redes instaladas a las que tengamos acceso. Para conectarnos a una red, hacemos clic con el botón derecho del ratón sobre ella y elegimos *Conectar* (Figura 7.9). Para desconectarse de una red, hacemos clic con el botón derecho del ratón sobre ella y elegimos *Desconectar*. Con la opción *Propiedades* de la Figura 7.9) vemos las propiedades de la misma a partir de las solapas de las Figuras 7.10 a 7.14.

Figura 7.9

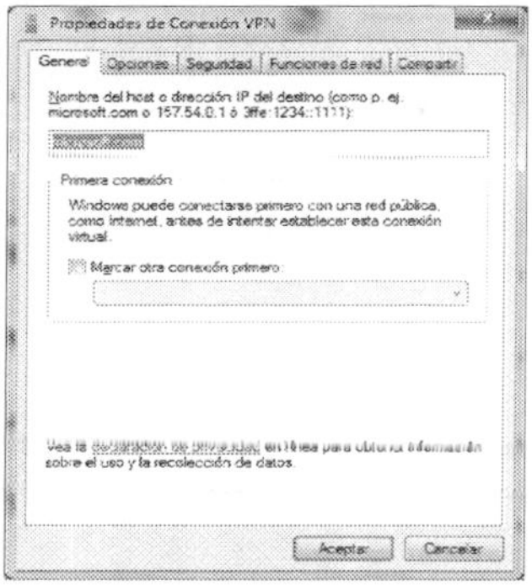

Figura 7.10

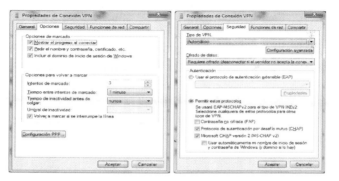

Figura 7.11

Figura 7.12

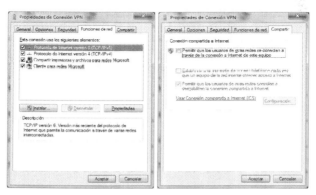

Figura 7.13

Figura 7.14

7.3.3 Grupo en el hogar y opciones de uso compartido

La opción *Elegir grupo en el hogar y opciones de uso compartido* de la Figura 7.3 permite el acceso a un grupo en el hogar con la finalidad de obtener acceso a archivos e impresoras ubicados en otro equipo de la red o a cambiar la configuración de uso compartido (Figura 7.15). Las opciones de la Figura 7.15 permiten la administración del grupo en el hogar.

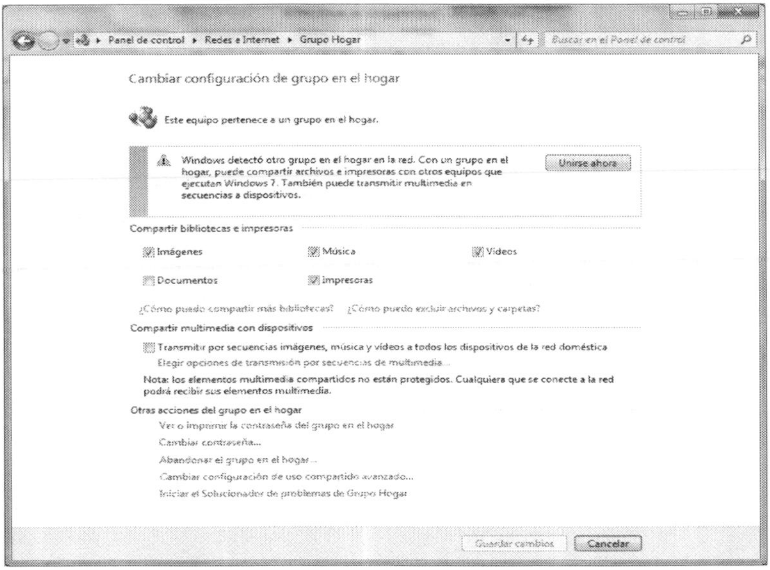

Figura 7.15

Capítulo 8

PROGRAMAS, ACCESORIOS Y HERRAMIENTAS DEL SISTEMA

8.1 AGREGAR PROGRAMAS DESDE CD O DISCO

Para instalar un programa desde un CD o un disco, inserte el disco en el equipo y siga las instrucciones que aparecen en pantalla. Por defecto en Windows Vista suele obtenerse una pantalla similar a la Figura 8.1. Al hacer clic sobre *Ejecutar SETUP.EXE* se inicia la instalación del programa. Si se le solicita una contraseña de administrador o una confirmación, escriba la contraseña o proporcione la confirmación.

Figura 8.1

Muchos programas instalados desde CD o DVD intentarán iniciar automáticamente un asistente de instalación del programa. En estos casos, aparecerá el cuadro de diálogo *Reproducción automática*, donde podrá ejecutar el asistente.

Si un programa no inicia la instalación, compruebe la información incluida en él a través de la opción *Abrir la carpeta para ver los archivos* de la Figura 8.1. Lo más probable es que esta información proporcione instrucciones para instalar el programa manualmente. Si no puede obtener acceso a la información del programa, también puede examinar el disco y abrir su archivo de instalación, generalmente con el nombre *Setup.exe* o *Install.exe*.

8.2 CAMBIAR O QUITAR PROGRAMAS

Puede desinstalar un programa del equipo si ya no lo utiliza o si desea liberar espacio en el disco duro. Puede utilizar *Programas y características* para desinstalar programas o para agregar o quitar determinadas opciones y cambiar así la configuración de un programa. Para cambiar o quitar un programa, se tiene en cuenta lo siguiente:

1. Abra el *Panel de control* y haga clic en *Programas* (Figura 8.2). Se obtiene la pantalla de la Figura 8.3 cuya opción *Programas y características* permite trabajar con programas.

2. Haga clic en *Programas y características* y en la Figura 8.4 seleccione un programa y, a continuación, haga clic en *Desinstalar*. Algunos programas incluyen la opción de *Cambiar* o *Reparar* el programa además de desinstalarlo, pero muchos sólo ofrecen la opción de desinstalación.

3. Para cambiar un programa, haga clic en *Cambiar* o en *Reparar*. Si se le solicita una contraseña de administrador o una confirmación, escriba la contraseña o proporcione la confirmación.

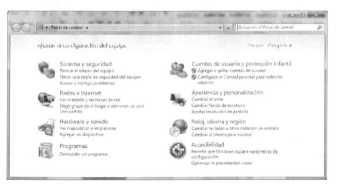

Figura 8.2

Figura 8.3

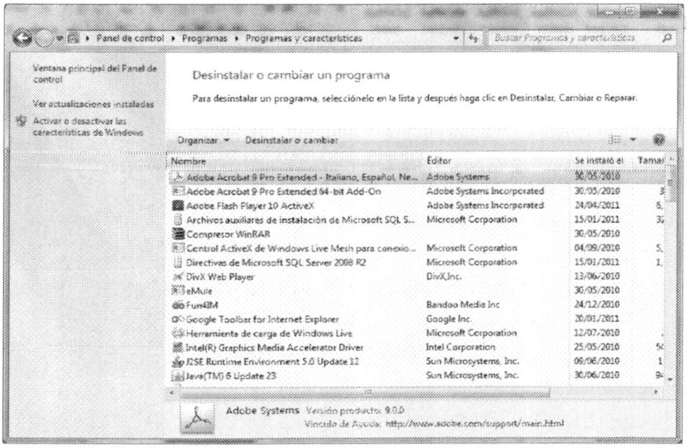

Figura 8.4

En la barra *Tareas* de la parte izquierda de la Figura 8.4, es posible elegir determinadas opciones de trabajo con los programas. Entre ellas, podemos *Ver actualizaciones instaladas* desde Windows Update para desisinstalarlas (Figura 8.5).

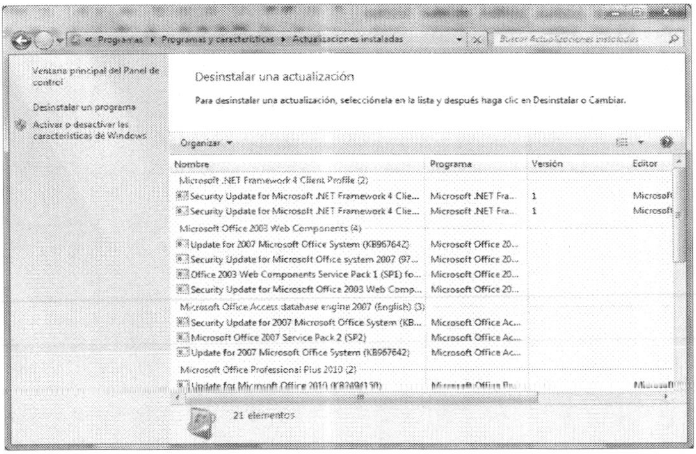

Figura 8.5

8.3 ACTIVAR O DESACTIVAR CARACTERÍSTICAS DE WINDOWS

Algunos programas y características incluidos con Windows, como Internet Information Services, deben activarse para poder utilizarlos. Otras características se activan de forma predeterminada, pero pueden desactivarse si no se utilizan. En versiones anteriores de Windows, para desactivar una característica era necesario desinstalarla por completo del equipo. En esta versión de Windows, las características permanecen almacenadas en el disco duro, por lo que pueden volver a activarse si se desea. La desactivación de una característica no la desinstala ni reduce la cantidad de espacio en disco duro que utilizan las características de Windows.

1. Haga clic en el botón *Inicio*, haga clic en *Panel de control*, haga clic en *Programas* en la Figura 8.2, y, a continuación, haga clic en *Activar o desactivar las características de Windows* en la

Figura 8.3. Si se le solicita una contraseña de administrador o una confirmación, escriba la contraseña o proporcione la confirmación.

2. Para activar una característica de Windows, active la casilla situada junto a la característica en la Figura 8.6. Para desactivar una característica de Windows, desactive la casilla.

3. Haga clic en *Aceptar*.

Algunas características de Windows están agrupadas en carpetas y algunas carpetas contienen subcarpetas con características adicionales. Si una casilla está parcialmente activada o aparece oscura, indica que algunos elementos dentro de la carpeta están activados y otros están desactivados. Para ver el contenido de una carpeta, haga doble clic en ella.

Figura 8.6

8.4 PROGRAMAS DE WINDOWS. ACCESORIOS

Windows presenta un conjunto de programas por defecto agrupados bajo la rúbrica *Accesorios* a la que se accede mediante *Inicio* → *Todos los programas* → *Accesorios* (Figura 8.7). Dentro de los accesorios se observan también determinadas subcarpetas representativas como *Accesibilidad, Herramientas del sistema* y *Tablet PC.*

Por otro lado, también en el menú *Todos los programas* se observan un grupo importante de programas multimedia, como *Galería fotográfica de Windows, Reproductor de Windows Media* y *Windows DVD Maker* (Figura 8.8). También se observan otras características importantes de Windows 7 como *Fax y escáner de Windows, Windows Live Mail* y *Windows Media Center.*

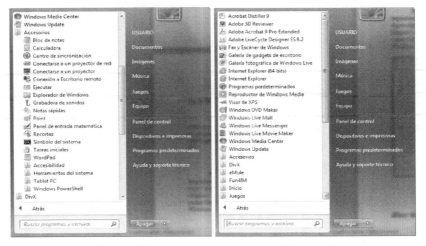

Figura 8.7   Figura 8.8

8.5 HERRAMIENTAS DEL SISTEMA

Windows 7 recoge un grupo de herramientas del sistema situado en la subcarpeta *Herramientas del sistema* de la carpeta *Accesorios* en el menú *Todos los programas* (Figura 8.9).

8.5.1 Desfragmentador de disco

Desfragmentar un disco consiste en consolidar sus archivos separados en fragmentos por diversas circunstancias de uso. La fragmentación se produce en un disco duro con el tiempo conforme guarda, cambia o elimina archivos. Los cambios que guarda en un archivo se almacenan a menudo en una ubicación del disco duro diferente del archivo original. Los cambios adicionales se guardan incluso en más ubicaciones. Con el tiempo, el archivo y el propio disco duro se fragmentan y el equipo se ralentiza puesto que tiene que mirar en diferentes lugares para abrir un archivo. El Desfragmentador de disco es una herramienta que vuelve a organizar los datos del disco duro y vuelve a unir los archivos fragmentados de manera que el equipo se ejecute de manera más eficaz. En esta versión de Windows, el Desfragmentador de disco se ejecuta mediante programación, por lo que no tiene que acordarse de ejecutarlo, aunque sigue teniendo la opción de ejecutarlo manualmente o de cambiar la programación que usa.

Figura 8.9

Para desfragmentar los discos del equipo de forma manual se tendrá en cuenta lo siguiente:

1. Haga clic en *Desfragmentador de disco* en la Figura 8.9.

2. En la Figura 8.10 haga clic en *Desfragmentar ahora* para proceder a la desfragmentación. En esta figura se observa el botón *Ejecución programada* señalado, de modo que la desfragmentación se realizará todos los miércoles a la una de

la madrugada. Con el botón *Modificar la programación* se
pueden cambiar los parámetros de la desfragmentación
programada (Figura 8.11).

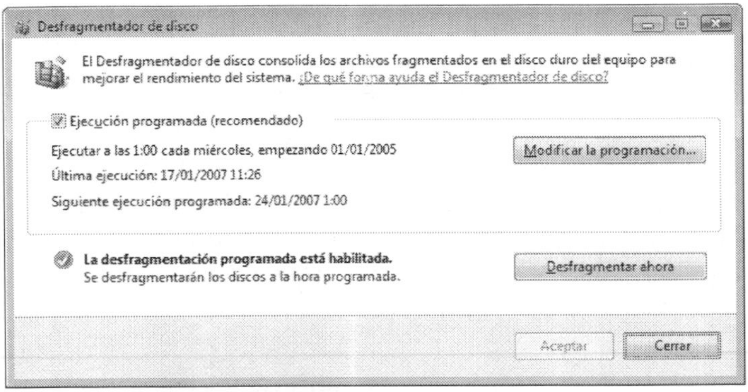

Figura 8.10

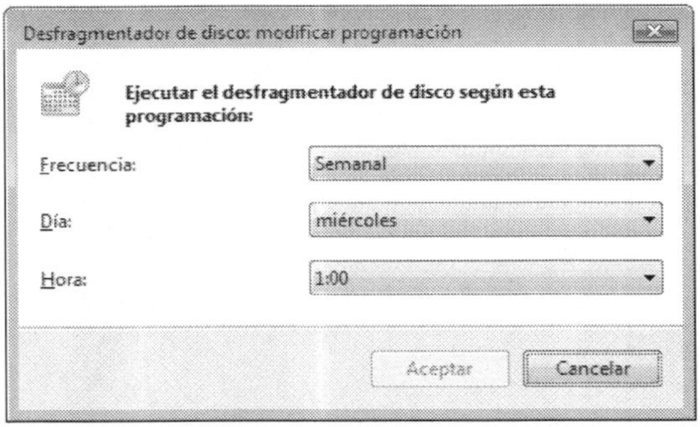

Figura 8.11

En esta versión de Windows, el Desfragmentador de disco se
ejecuta a intervalos regulares cuando el equipo está encendido, de modo
que no tiene que acordarse de ejecutarlo. El Desfragmentador de disco
se configura para que se ejecute todas las semanas para asegurarse de
que el disco está desfragmentado. No tiene que hacer nada más. Sin
embargo, ya hemos visto que puede cambiar la frecuencia y la hora del
día en la que se ejecuta el Desfragmentador de disco.

8.5.2 Liberador de espacio en disco

Si desea reducir el número de archivos innecesarios en el disco duro para liberar espacio en el disco y ayudar a que el equipo se ejecute de manera más rápida, utilice el *Liberador de espacio en disco*. Esta herramienta de Windows quita archivos temporales, vacía la Papelera de reciclaje y quita varios archivos del sistema y otros elementos que ya no necesita.

Para *eliminar archivos utilizando el Liberador de espacio en disco* se tendrá en cuenta lo siguiente:

1. Haga clic en *Inicio* → *todos los programas* → *Accesorios* → *Herramientas del sistema* → *Liberador de espacio en disco*. En la Figura 8.12 elija todos los archivos que se pueden eliminar.

2. En el cuadro de diálogo *Opciones del Liberador de espacio en disco*, elija si desea liberar espacio sólo con sus propios archivos o con todos los archivos del equipo (Figura 8.14).

3. Si aparece el cuadro de diálogo *Liberador de espacio en disco: selección de unidad*, seleccione la unidad de disco duro en la que desee liberar espacio y, a continuación, haga clic en *Aceptar*. Se calcula el espacio en disco posible para liberar (Figura 8.15).

4. Haga clic en la ficha *Liberar espacio en disco* y, a continuación, active las casillas para los archivos que desee eliminar.

5. Cuando termine de seleccionar los archivos que desea eliminar, haga clic en *Aceptar* y, a continuación, en *Eliminar archivos* para confirmar la operación. El Liberador de espacio en disco continúa quitando todos los archivos innecesarios del equipo.

Figura 8.12

Figura 8.13

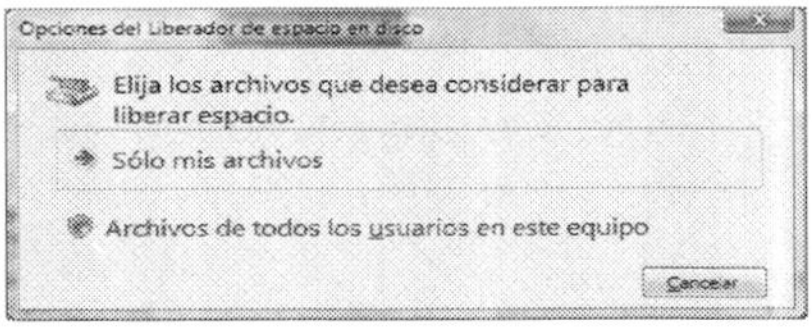

Figura 8.14 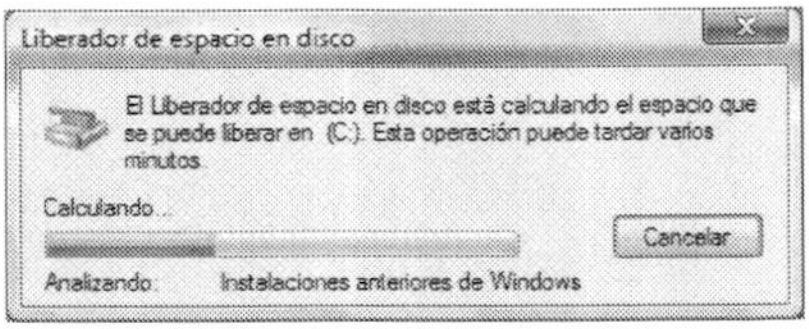   *Figura 8.15*

La ficha *Más opciones* (Figura 8.13) del Liberador de espacio en disco está disponible si se elige eliminar archivos de todos los usuarios del equipo. Esta ficha incluye dos formas adicionales de liberar más espacio en disco:

- *Programas y características*: Abre *Programas y características* en el Panel de control, donde puede desinstalar programas que ya no utilice. En la columna *Tamaño de Programas y características* se muestra cuánto espacio de disco utiliza cada programa.

- *Restaurar sistema e instantáneas*: pregunta si desea eliminar todos los puntos de restauración del disco excepto los más recientes.

Restaurar sistema utiliza puntos de restauración para restablecer los archivos del sistema a un momento anterior. Si el equipo se ejecuta con normalidad, puede ahorrar espacio de disco eliminando los puntos de restauración anteriores. En algunas ediciones de Windows 7, los puntos de restauración pueden incluir versiones anteriores de los archivos, lo que se conoce como *instantáneas*.

ÍNDICE ALFABÉTICO

B

C

D

E

F